C0-AWY-980

VOILÉES, DÉVOILÉES

Être femme dans le monde arabe

Noria ALLAMI

VOILÉES, DÉVOILÉES

Être femme dans le monde arabe

Éditions L'Harmattan
5-7, rue de L'École-Polytechnique
75005 Paris

ISBN : 2-7384-0201-1

Ceux qui ne comprennent pas le passé
sont condamnés à le revivre

in *Faust* de GOETHE

PRÉFACE

Quand Noria Allami est venue, il y a quelques années, me demander de diriger sa thèse, j'ai été à la fois enthousiasmée et inquiète.

Enthousiasmée par le sujet qu'elle avait choisi : une démarche neuve se mettait en route, un nouvel éclairage allait pouvoir être jeté sur un aspect important du monde arabe et islamique, sur le sort des femmes, sur les rapports entre les sexes.

Inquiète pour deux raisons. D'abord parce que lever le voile — ou même en soulever le coin — c'est tenter de cueillir le fruit de l'arbre du savoir, un savoir mystérieux et interdit, et les Textes nous ont appris que le prix à payer est lourd... Et aussi parce que le projet de recherche était bien ambitieux, démesuré peut-être : lever le voile revenait à interpeller, à mettre en question, à faire parler la structure signifiante d'une société, à l'ébranler dans ses fondements profonds.

Un tel travail ne pouvait se faire que dans une démarche multi-référencée : dégager le sens d'un processus complexe suppose des lectures multiples, et à plusieurs niveaux.

J'ai communiqué à plusieurs reprises à Noria mes inquiétudes en même temps que ma sympathie, et l'ai invitée à la prudence, à restreindre, élaguer, à perdre en somme.

Elle a maintenu contre vents et marées son propos. C'est que Noria est décidée : elle sait ce qu'elle veut. Elle est aussi acharnée : elle a su faire passer son désir dans la réalité. Par tempérament probablement, mais surtout par la force de ses motivations : comprendre et communiquer quelque chose dont elle mesurait plus que toute autre l'importance et l'urgence ; régler un compte, peut-être ; se donner les moyens d'un dépassement, sûrement.

Toute recherche clinique, du moment où l'on s'y

implique vraiment, remplit ces trois fonctions, pensera-t-on. Celle de Noria peut-être plus qu'une autre, du fait de son histoire et de sa situation personnelle et professionnelle ; comme femme, algérienne, psychologue clinicienne et chercheuse, mère maintenant.

De fait, c'est bien dans son expérience personnelle que s'origine sa recherche : à partir d'un fait d'observation courante — l'agressivité que risque de déclencher la femme qui sort dévoilée en Algérie —, et d'un repère sur le plan historique — l'admiration suscitée par les quelques femmes qui ont rejoint la résistance (elles l'ont fait en étant bien sûr dévoilées) —, apparaît l'importance du phénomène du voilement et du dévoilement, de ses liens avec les moments de rupture dans la continuité de l'histoire, de ses fonctions par rapport au groupe.

Ce travail nous propose donc une problématique du voile dans le monde arabe et notamment en Algérie, sous la forme d'une étude à plusieurs niveaux et dans plusieurs perspectives : historique et sociale, anthropologique, clinique, qui se recoupent et se nourrissent utilement l'une l'autre.

L'hypothèse centrale, qui le sous-tend, est double : la pratique du voilement est l'aboutissement logique d'un processus qui prend origine dans le système de parenté fondé sur la prééminence des hommes, et dans le fonctionnement de la tribu — et qui passe aussi, lorsque celle-ci se sédentarise, par le voilement par la pierre. Au cœur de ce processus, son revers, le dévoilement, prend le sens ambigu d'un scandale et d'un rituel sacré.

Après avoir étayé et vérifié de manière convaincante son hypothèse sur le plan historique et anthropologique, N. Allami adopte une démarche psychologique, et la soumet à l'expérience clinique par l'analyse de six entretiens de femmes et d'hommes ; ceux-ci sont particulièrement riches et révélateurs, dans leurs contradictions, du regard qu'ils jettent sur les femmes, des forces puissantes et cachées qui tendent à maintenir les choses en place, et empêchent que soit vraiment posée dans cette société la question du rapport entre les sexes, de la souffrance qu'il entraîne pour chacun d'eux, et de sa nécessaire évolution.

Par l'étude fine de trois psychothérapies de femmes ou de filles, particulièrement saisissante, apparaît la réflexion sur la construction de la personnalité féminine : à travers le silence, la peur, la pudeur, le secret, la voix voilée, nous prenons conscience du fait que « le voilement de la femme n'est que l'aboutissement d'un long processus de nivellement, d'effacement de tout ce qui fait l'originalité de la personne. Lorsqu'il intervient dans la vie d'une adolescente sans voix, sans parole à soi, sans corps à soi, il vient signer la volonté mortifère du groupe à l'égard de la personne et donner vie à la multitude dont se glorifie le clan ».

Au terme de l'analyse d'une telle situation, devant sa persistance, ses mouvements évolutifs, ses contradictions, ses retours, son rejeu, comment ne serions-nous pas prêts à entendre l'explication psychanalytique qu'en propose Noria, par la difficulté d'accepter la différence des sexes, expression de l'angoisse de castration, et reliée chez l'homme à la peur et au refus de sa propre féminité ?

C'est là, peut-être, au terme ultime d'un passionnant travail d'investigation et de décryptage, qu'un coin du voile est vraiment soulevé.

Il reste encore beaucoup à faire sur ce point, pour développer les prises de conscience et promouvoir un véritable changement.

Mais les éléments sont à présent disponibles, l'appel lancé, le mouvement impulsé. Il faut remercier Noria Allami de l'avoir fait, et souhaiter qu'elle poursuive avec d'autres, hommes et femmes, un travail si utile et si bien engagé.

Paris, octobre 1988

Claude Revault d'Allonnes

INTRODUCTION

Cette recherche s'inscrit dans ce vaste processus de conscientisation qui est le préalable à toute libération. Il s'agit ici de l'immense monde féminin, cette « dernière colonie de l'homme » (1), et plus précisément de la femme algérienne qui, s'il existe une échelle d'évaluation des libertés, serait assurément située bien bas.

Aborder la société algérienne, par le biais du voilement et du dévoilement de la femme est une façon d'attraper le taureau par les cornes et ne pas craindre d'être quelque peu malmenée. Il s'agit en l'occurrence de l'angoisse du chercheur face à un matériel dont le questionnement renvoie immanquablement à soi. C'est ce que G. Devereux désigne sous le terme de contre-transfert social.

Dévoiler la femme algérienne et par extension l'Algérie, est une démarche qui n'est pas très aisée pour une Algérienne en France, quand on connaît le rôle qu'a joué le voile durant la colonisation et toute la stratégie élaborée par le colonisateur pour déchirer le voile, pénétrer le monde des femmes et les attirer à l'extérieur ; ayant compris que s'il arrivait à les dévoiler, il réaliserait sa victoire définitive sur ce monde réfractaire à toute pénétration étrangère.

Dévoiler la femme en Algérie, faire tomber cette barrière qui sépare les hommes des femmes, n'aurait pas été une démarche plus aisée. Traiter une question telle que le voile - qui constitue, même à l'heure actuelle, un point chaud en Algérie - n'a pas été sans difficultés pour moi.

Aucun des deux espaces n'est suffisamment neutre pour permettre d'aborder une telle problématique, avec suffisamment de sérénité. En fait, ce ne sont pas ces espaces,

(1) Tillion (G.), *Le harem et les cousins*, Editions du Seuil, Paris, 1966, p. 199.

en tant que tels, qui sont à considérer ou à incriminer, mais c'est ma propre angoisse qui a été déclenchée par la perspective du dévoilement. Il s'agit donc de mon contre-transfert par rapport à ma recherche, qui a été analysé à travers un rêve qui s'est fait le porte-parole de ce que signifiaient pour moi le voile et la perspective du dévoilement. A travers ma propre expérience, j'ai constaté qu'en dehors de sa dimension sociale, le voile a un impact au niveau psychologique.

D'autre part, être (un peu) étranger aiguise la vue comme cela affine l'ouïe. Et c'est dans cette distance extérieure que le voilement et le dévoilement de la femme algérienne s'imposent comme un phénomène dont le mouvement est en relation avec les grandes ruptures d'équilibre social. Chaque fois qu'il y a une rupture dans la continuité de l'histoire telle que la colonisation ou la décolonisation, le renversement d'un Etat, la révolution islamique, il y a un retentissement au niveau de la femme. Certains vont la voiler, d'autres vont la dévoiler.

Ce travail va consister à essayer de comprendre ce que veut dire cette société lorsqu'elle voile ou dévoile ses femmes. A quel moment intervient l'une ou l'autre séquence ? Et enfin quels sont la fonction et le sens de ce phénomène ? Car je crois que le voilement de la femme a un sens caché, occulté et, précisément pour cela, important.

Le voile dans la société algérienne et arabe en général fait partie d'un système cohérent. Y toucher, le questionner, implique le questionnement de la structure d'ensemble qui le sous-tend, et, par conséquent, exige du chercheur le recours aussi bien à la dimension historique, sociologique, que psychologique. Nous sommes donc en présence d'un fait social total au sens où l'entend Marcel Mauss (2).

L'élément féminin dans les sociétés musulmanes, par son caractère caché, occulte, voilé, infiltre tout l'ensemble, et apparaît en filigrane aussi bien dans le comportement quotidien du particulier - son honneur et sa dignité sont largement tributaires du comportement de ses femmes (sa femme, ses filles, ses sœurs, ses cousines...) qui peuvent l'élever aux yeux de la société par un comporte-

(2) Mauss (M.), *Sociologie et anthropologie*, PUF, Paris, 1978, p. 147.

ment fait de réserve et d'effacement, ou le rabaisser en contrevenant aux coutumes -, que dans les décisions prises à l'échelle nationale. En effet, malgré les options modernistes des gouvernants, leur silence ou leur malaise dans le traitement de toute question concernant la femme signifie la complexité du problème et la multiplicité de ses incidences.

La femme semble détenir ou être la garante de l'honneur de la nation, de la société ou tout simplement de la famille. Dès lors, son immobilisation ou son voilement devient une nécessité. Car dès qu'elle bouge, elle menace les valeurs ancestrales qui constituent le groupe. Pour comprendre le voilement, il va donc falloir « dénuder les fondations de notre propre société » (3). Il est présent dans la structure même de cette société endogame et tribale.

Etymologiquement, le voile, en algérien, signifie le hidjab, autrement dit protection. Or, les protecteurs de la femme sont en premier lieu sa parenté mâle. Le premier voile de la femme est présent dans ce tissu serré constitué par le père, les oncles, les frères et les cousins. Il est présent dans ce lien mystique qui les unit les uns aux autres. Ils ont le même ancêtre, le même sang coule dans leurs veines, et ils luttent contre le même ennemi. Le voile est encore présent dans cette volonté antique de « vivre entre soi », sous la même tente, plus tard, sous le même toit, dans le même village et surtout : « garder les filles de la famille pour les garçons de la famille » ; et ainsi, la boucle est bouclée et l'honneur est sauf. Il s'agit bien sûr de l'honneur des hommes qui serait atteint si on touche à la femme de leur groupe.

Lorsque la femme algérienne se dévoile durant la guerre d'indépendance et participe au mouvement de libération, plusieurs observateurs étrangers proclament son évolution fulgurante et considèrent le fait comme un acquis fondamental, un point de non-retour. Les mêmes personnes qui viennent retrouver l'Algérie libre sont surprises par ses efforts considérables sur le plan du développement national et ses résultats incontestables ; mais ils sont encore plus surpris par ce frein souterrain, insidieux qui se présente

---

(3) Tillion (G.), *op. cit.*, p. 11.

sous la forme des femmes encore voilées, dont le nombre s'est accrû dans certaines régions et dont le voile s'est fait plus austère sur certaines femmes.

C'est encore cette contrariété chronique, nous dirait G. Tillion ; le vieux réflexe bédouin est toujours à l'œuvre. Nous sommes toujours dans la république des cousins, mais alors pour quand la république des citoyens ?

Je pense, quant à moi, que le voilement comme le dévoilement sont profondément inscrits dans la structure de cette société. L'apparition de l'un ou de l'autre phénomène doit toujours être interprétée en fonction du contexte historique.

Dans sa préface à l'œuvre de M. Mauss, C. Lévi-Strauss dit que « nous ne pouvons jamais être sûrs d'avoir atteint le sens et la fonction d'une institution si nous ne sommes pas en mesure de revivre son incidence sur une conscience individuelle. Comme cette incidence est une partie intégrante de l'institution, toute interprétation doit faire coïncider l'objectivité de l'analyse historique ou comparative avec la subjectivité de l'expérience vécue » (4).

Au travers d'une enquête faite auprès d'hommes et de femmes, j'ai essayé de mesurer l'impact de cette institution sur les comportements. Ce serait un truisme que de dire : le voile ne contribue guère à la rencontre de l'homme et de la femme. Cependant, le moins banal est que l'évitement, qui concernait l'étranger au groupe familial, finit par s'étendre aux hommes de la famille et aboutit à une sorte de clivage à l'intérieur d'un même groupe familial. Ainsi, dans une même famille nous voyons cohabiter deux mondes parallèles, ce qui n'est pas sans incidence au niveau de la structure des personnalités de ceux qui vivent cette réalité. C'est par l'intermédiaire de l'éducation que la famille va intervenir activement pour développer chez ses enfants, garçons et filles des attitudes qui vont dans le sens de leur exclusion mutuelle et du renforcement de la barrière qui les sépare.

Ainsi, pour la fille, lorsque le voile apparaît dans sa vie, il n'est que l'aboutissement d'un long processus de

(4) Levi-Strauss (Cl.), *Introduction à l'œuvre de Marcel Mauss*, *op. cit.*, p. XXVI.

nivellement et d'effacement de toute agressivité et positivité en elle. Nous verrons ce processus à l'œuvre à travers trois psychothérapies menées auprès de deux petites filles et une adolescente.

En dernière analyse, nous essaierons de faire une approche du voilement et du dévoilement de la femme sur le plan psychologique pour tenter de savoir quels sont la fonction et le but du voile et surtout à qui il sert.

PREMIÈRE PARTIE

A PROPOS DE MON CONTRE-TRANSFERT PAR RAPPORT A MA RECHERCHE

« La recherche la plus fructueuse est presque toujours celle qui porte sur les obstacles à la recherche que l'on effectue. De tous ces obstacles, le plus grand - et donc potentiellement le plus fertile aussi - est le fait que toute recherche sur l'Homme est aussi une recherche sur soi-même. Toute recherche qui ne tient pas compte de ce fait inéluctable produit automatiquement un "contre-transfert" inconscient sur soi-même, source de rationalisations idiosyncrasiques défensives qui se transforment rapidement en idéologie... (1).

« C'était seulement en prenant dans le contre-transfert mon point de départ, que je pouvais tenter de faire passer quelque chose de mon questionnement actuel d'analyste ; mais à l'inverse, si je partais du contre-transfert, je veux dire s'il me quittait pour me laisser aller ailleurs, là où on croit n'être que soi-même, alors mon propos perdrait son motif sérieux : cette impulsion contraignante que j'évoquais à l'instant, celle qui déclenche et exige le travail psychique sans quoi il n'y pas de travail d'expression » (2).

Cette impulsion dont parle Pontalis, ce besoin de comprendre le processus de dévoilement chez la femme algérienne n'est venu qu'après-coup. Après une mise à distance, objectivée par le voyage et la venue en France. C'est donc de façon rétrospective que l'attitude de la femme dévoilée en Algérie m'a frappée. Pour la rendre, j'emprunterai un passage de Assia Djebar dans « Femmes d'Alger dans leur appartement » : « Le corps avance hors de la maison et, pour la première fois, il est ressenti comme "exposé" à tous les regards : la démarche devient raidie, le pas hâtif, l'expression du regard contractée. »

« L'arabe dialectal traduit l'expérience d'une façon

---

(1) Devereux (G.), in Nathan (T.), Préface de *Sexualité idéologique et névrose*, La Pensée Sauvage, 1977, p. XI.

(2) Pontalis (J.-B.), « A partir du contre-transfert, le mort et le vif entrelacés », Nouvelle revue de psychanalyse, aut. 75, n° 12, p. 73.

significative : "je ne sors plus protégée (c'est-à-dire voilée, recouverte)", dira la femme qui se libère du drap ; "je sors deshabillée, ou même dénudée.". Le voile qui soustrayait aux regards est de fait ressenti comme "habit en soi", ne plus l'avoir, c'est être totalement exposée » (3).

Ceci, bien sûr, je n'ai pu le percevoir qu'en voyant une autre catégorie de dévoilées, celles qui n'ont jamais porté le voile. « On ne peut être à la fois dans le paysage et en avoir la vue. » (4) ; c'est là que prend tout son sens la notion de *report* de G. Devereux, qu'il définit comme étant « l'influence subjective ou objective d'expectatives et aussi d'expériences antérieurement vécues avec une autre tribu, sur l'attitude adoptée envers la tribu présentement étudiée » (5), ce report ayant en plus pour qualité « l'accroissement de la capacité de percevoir et de rendre possible la découverte de traits, de nuances ou de significations que l'on aurait autrement négligés » (6). Cette première mise à distance a permis l'émergence d'un questionnement sur la femme algérienne et le processus de son dévoilement, avec comme corollaire le désir d'en faire une étude suffisamment approfondie, pour être l'objet d'une thèse de 3e cycle.

C'est à ce moment-là qu'apparut la dimension contre-transférentielle. Pour en rendre compte, je fais appel encore une fois à J.-B. Pontalis : « On ne peut parler du contre-transfert en vérité, mais on peut le rendre sensible avec tact. Le mot tact évoquera ici moins une discrète circonspection que la sensibilité à une surface ! (7). Cette sensibilité est d'abord méconnaissable par les formes qu'elle revêt, qui sont : soit éluder la question, soit ajourner son abord. Mais, ce genre de travail ayant une limite dans le temps, il a bien fallu se pencher sur le problème soulevé, et, à ce moment-là, d'autres manifestations se sont fait jour, heureusement consignées : l'impression que ce phénomène de dévoilement n'a aucune pertinence. D'autre

(3) Djebar (A.), *Femmes d'Alger dans leur appartement*, Ed. des Femmes, Paris, 1979, p. 175.
(4) Devereux (G.), *De l'angoisse à la méthode*, Flammarion, Paris, 1980, p. 201.
(5) Ibid., p. 307.
(6) Ibid., p. 307.
(7) Pontalis (J.-B.), *op. cit.*, p. 75.

part, que signifie le fait de venir mener cette recherche en France pour en faire étalage ensuite, pour qui ? Et pourquoi ?

- Est-ce que le dévoilement est un véritable problème qui mérite réflexion, ou n'est-ce qu'une gageure, conséquence de mon occidentalisation ?

- La femme arabe et algérienne peut-elle être autrement que voilée actuellement, et, après tout, ne serait-elle pas qu'un vestige de l'Histoire de la Femme, un mouvement attardé lié à notre sous-développement général ?

Il n'y avait donc plus qu'à laisser faire l'Histoire, et les choses suivront inéluctablement leurs cours vers une évolution pleine et complète de la femme comme partout ailleurs. Mais si je reprends ce qu'a écrit Germaine Tillion sur cette société, je me rends compte encore une fois que ce n'est qu'un refus déguisé d'aborder mon sujet, et ceci est en rapport avec toute l'angoisse qui lui est liée : « N'oublions pas que l'évolution urbaine est plus ancienne dans le levant méditerranéen que partout ailleurs ; tout s'y passe pourtant comme si elle y était continuellement arrêtée à mi-course par une sorte de thermostat ; selon notre hypothèse, il fonctionnerait sans se détraquer depuis le néolithique » (8). « Si d'un côté, l'Algérie socialiste, avec ses plans d'industrialisations lourdes et ses admirables services sociaux, regarde vers l'avenir, l'Algérie islamique, par contre, regarde vers le passé pour renforcer les traditions arabes : les femmes sont actuellement encouragées à porter le voile, pour bien marquer l'intention de l'Algérie de vouloir choisir une voie de développement qui ne soit pas entachée d'occidentalisme » (9). Ceci vient à nouveau confirmer les dires de Germaine Tillion : « ...les vieilles structures ne sont pas encore détruites, puisqu'elles continuent à s'effondrer sous nos yeux, mais elles ont commencé leur déclin il y a plus de sept mille ans, du moins dans la partie du monde où elles survivent » (10).

Une société des plus avancées s'est figée, sous quelle fascination ou quelle emprise ? Notre projet n'est pas d'étudier l'origine de cette stagnation, ni les multiples facteurs qui sont nécessairement entrés en jeu. Nous limite-

---

(8) Tillion (G.), *op. cit.*, p. 182.
(9) « Les femmes arabes », in M.R.G. Rapport n° 27, pp. 11-12.
(10) Tillion (G.), *op. cit.*, p. 184.

rons notre recherche à l'élucidation d'une de ces causes de retard, qui est, à notre sens, la mise à l'écart de la moitié féminine de la population. Cette mise à l'écart se traduit par la persistance du voile qui, à lui seul, suffit à caractériser la société musulmane, comme étant celle qui voile ses femmes.

Je voudrais maintenant illustrer ce qui précède par un rêve que je considère comme étant lié à mes préoccupations sur cette recherche. Il m'a fallu bien sûr vaincre beaucoup de résistances pour l'intégrer à ce travail, cependant je n'irai pas au-delà d'un certain niveau d'analyse et pour cela je cite Freud : « Je pourrais, en serrant plus étroitement les fils, montrer qu'ils aboutissent tous à un nœud unique. Mais, à côté des intérêts de la science, il existe des intérêts privés qui m'interdisent formellement de publier un travail de ce genre. Il me faudrait pour cela découvrir quelques-uns de mes sentiments intimes qui m'ont été révélés par l'analyse, mais que je n'aime pas m'avouer à moi-même. Mieux vaut se taire. Et si l'on demande pourquoi je n'ai pas choisi un rêve dont je puisse donner l'analyse sans restriction, de manière que le lecteur pénètre mieux le sens et la liaison des idées offertes, la réponse est simple : tout autre rêve que je pourrais choisir se réduirait à ces mêmes éléments difficilement communicables, et m'obligerait à la même discrétion » (11).

Le texte du rêve : Je lis avec beaucoup de virulence un article sur le langage de la femme ou la prise de la parole par la femme à une assemblée qui me semble constituée essentiellement d'hommes algériens, j'entends un remous de désapprobation dans la salle et puis je sors. A la sortie d'une bouche de métro je me trouve face à des jeunes gens qui me semblent originaires de mon pays. Ils tirent leurs pistolets, et j'ai l'impression qu'ils vont m'attaquer, je cours, monte dans un taxi et demande au conducteur de les semer. Il me dépose près d'un monument devant lequel des soldats français montent la garde et je me dis : « je viens chercher protection auprès de l'armée française alors qu'on a lutté pour s'en libérer ». A l'intérieur de ce

(11) Freud (S.), *Le rêve et son interprétation*, Ed. Gallimard, Paris, 1925, p. 23.

qui me semble être une mosquée, je rencontre ma mère et ma tante, un stand de pâtisserie orientale où je me sers ; un homme de religion musulmane, habillé traditionnellement, nous installe dans une chambre à part.
Je me retrouve à nouveau dans une autre situation, cette fois-ci dans une librairie. Je veux acheter des livres, je vois à nouveau un homme qui me semble originaire de mon pays et cela déclenche à nouveau cette impression de risque d'agression, je sors en courant et escalade un autre monument. Je pénètre dans une crypte et j'y trouve des ossements, je veux me cacher, j'hésite à entrer dans un squelette, je décide de placer une tête de mort à l'entrée, en me disant : « Ils ne penseront pas que je me suis cachée dans un tel endroit. »

Voilà le rêve. Il m'a semblé de prime abord assez surprenant et même angoissant, car il m'a réveillée, mais cependant quand je me le suis rappelé le lendemain, je me suis rendu compte qu'il s'est servi pratiquement de tout le matériel de ma réflexion sur mon contre-transfert par rapport à ma recherche. Je vais donc décomposer le rêve et regrouper autour de chaque fragment les idées qui s'y rattachent et que je puiserai soit directement dans le texte que j'avais écrit la veille, soit sur ce que ça évoque en moi comme associations.

Je lis un article sur le langage de la femme ou la prise de la parole par la femme : Freud dit à ce propos : « Quand, dans l'analyse des idées de rêve, on se trouve en présence d'une alternative, il faut se rendre compte que celle-ci n'est qu'une affirmation déguisée, remplacer le "ou" par un "et" et prendre les deux termes de la fausse alternative pour point de départ de nouvelles chaînes d'associations » (12).
Je lis un article : c'est non seulement l'exposé que je dois faire sur ma recherche à ce séminaire (13), mais ça englobe aussi la soutenance d'un tel travail de recherche.
Le langage de la femme : c'est ce que je voudrais dégager dans ce travail, un discours qui lui soit propre, autre

(12) Ibid., p. 43.
(13) Séminaire de G. Devereux, en 1981, sur « Ethnopsychanalyse ».

que celui dans lequel elle se réfugie et qui est le silence ou le mimétisme, un discours autre que celui dans lequel elle s'est inscrite. La question primordiale est : quel va être son discours hors des ornières ? Le dévoilement, dans la mesure où il pourra un jour s'opérer réellement, sera l'équivalent d'un dévoilement du secret, et par conséquent l'occasion *d'une prise ou reprise de la parole, la sienne*, réelle et non un jeu de cache-cache dont elle est la première victime. Nous voyons donc qu'il y a intrication entre le dévoilement du corps et celui du langage de la femme, qui jusqu'alors n'a pas droit de cité.

A ce propos, un passage de Fadela M'Rabet, extrait de son livre « Les Algériennes », me vient à l'esprit : « Bref..., son langage, comme celui des bêtes, se réduit, pour l'homme, à l'expression des émotions, et pas plus qu'on ne discute avec un perroquet, on ne parle à une femme ... non, on ne parle pas, on ne discute pas avec une femme, simplement on l'informe (ce soir, il y a des invités), on la convoque (toutes sur l'esplanade de l'Afrique), on la commande (tu ne sortiras pas), et pêle-mêle on l'épouse (on la marie) ou on la répudie, on la siffle ou on la chasse, on la bat ou on la flatte, jamais ou presque, on ne voit en elle un autre aussi positif que soi et qui aurait comme tout un chacun quelque chose à donner » (14). Et pourtant, de ce type de discours je veux, tout au moins je voulais, absolument me démarquer, ne pas faire de ce travail une polémique contre l'homme, lui régler son compte, car il me semble que le problème est ailleurs. Et pourtant, il a su trouver son écho en moi et je pense qu'il a été bien rendu par ce fragment du rêve : « *Je lis l'article avec beaucoup de virulence à une assemblée constituée essentiellement d'Algériens et je sens un remous de désapprobation.* »
Je sors d'une bouche de métro : étant donné que je considère le voilement de la femme comme étant le signe de son refoulement, ma sortie de cette bouche de métro est l'équivalent d'un retour du refoulé ou une tentative de percée du refoulé, la censure étant représentée ici par ces jeunes gens qui sortent leur pistolet pour m'attaquer. Ce fragment rejoint l'idée que j'évoque ailleurs et rappelle la réac-

(14) M'Rabet (F.), *Les Algériennes*, Maspero, Paris, 1979, p. 14.

tion des intégristes iraniens devant le défilé des femmes qui manifestèrent leur opposition au port du tchador ; ils réagirent en les poignardant, ce qui est l'équivalent du fait de tirer son pistolet. Dans la symbolique du rêve, Freud dit que : « Toutes les armes longues et aiguës - couteau, poignard, pique - représentent le membre viril » (15) ; devant l'envahissement du dehors par la femme dévoilée, les hommes se défendent par le sexe. La femme qui sort dévoilée, qui se laisse approprier par le regard, devrait logiquement se laisser approprier par le sexe.

Je cours, monte dans un taxi et demande au conducteur de les semer : symboliquement le taxi représente le corps la mère, mais c'est une régression qui ne semble pas suffisante, puisque :
Je me réfugie dans un monument devant lequel des soldats montent la garde, à la vue desquels émergea cette réflexion : « je viens chercher protection auprès de l'armée française, alors qu'on a lutté pour s'en libérer » : cette pensée rejoindrait l'une de mes réticences inconscientes à aborder un problème spécifiquement algérien en France et plus particulièrement celui du dévoilement. Que signifie le fait de venir l'exprimer ici ? Quel rôle la France continue-t-elle à jouer dans notre imaginaire ? Quand on sait le rôle qu'a joué le voile durant la colonisation, quand on sait aussi toutes les stratégies élaborées par le colonisateur pour pénétrer ce monde, déchirer le voile, attirer les femmes à l'extérieur, ayant pressenti qu'en y accédant, il réaliserait sa victoire définitive sur ce monde réfractaire à toute pénétration étrangère.
A l'intérieur de ce qui me semble être une mosquée, je rencontre ma mère et ma tante, un stand de pâtisserie orientale dont je me sers. Un homme de religion musulmane habillé traditionnellement nous installe dans une chambre à part : cette re-situation dans mon contexte a permis l'atténuation de l'angoisse, mais c'est assurément très peu satisfaisant, l'impulsion est trop forte et me voilà à nouveau *dehors dans une librairie* ; donc avec un désir de savoir, cependant la répression semble être à l'image

(15) Freud (S.), *L'interprétation des rêves*, PUF, Paris, 1971, p. 304.

de mon offensive et, l'apparition d'un homme originaire de mon pays est tellement menaçante, porteuse de risque, qu'elle déclenche à nouveau la fuite dans le fragment suivant.

Je sors en courant et escalade à nouveau un monument : à ce propos, Freud dit dans l'interprétation des rêves : « Les murs unis auxquels on grimpe, les façades le long desquelles on se laisse glisser (souvent avec une grande angoisse) représentent des corps d'hommes debout. Ils renouvellent probablement des souvenirs d'enfants qui ont grimpé sur leurs parents ou sur les personnes qui s'occupaient d'eux » (16).

Une deuxième idée relative à ces monuments, qui par deux fois apparaissent dans le rêve, se trouve dans mon texte formulée de la façon suivante : mon travail consistera surtout à amorcer une réflexion, faire une brèche à la forteresse, celle des mentalités, mais quelle utopie, tous et toutes en glosent, mais quand il faut agir, quel effroi ! Le même d'ailleurs qui m'étreint. Faudrait-il croire que ces murailles masquent le vide, pour que nous ayons si peur de leur effondrement ? On accumule coutumes et traditions séculaires, on en fait une muraille et on clame notre originalité.

Théodore Reik apprécie cet effroi à sa manière : « L'importance de ce facteur psychologique, à savoir la victoire sur l'angoisse et sur l'effroi intellectuel qui la précède, doit être pleinement appréciée dans la technique heuristique de la psychologie des profondeurs. La bravoure devant les pensées joue probablement le même rôle que le courage physique dans d'autres performances. La progression dans un domaine psychologique inexploré ne peut être le fait que de chercheurs "impavides". Elle est aussi périlleuse que l'exploration de la forêt vierge, des pôles et de la stratosphère... » (17). « Celui qui fait preuve de courage devant l'effroi intellectuel caché transmet à autrui ce courage et chacun peut aussi, dans son étroit domaine, contribuer à rendre une génération plus courageuse » (18).

Je pénètre dans ce qui me semble être une crypte et j'y trouve des ossements :

---

(16) Ibid., p. 305.

(17) Reik (Th.), *Le psychologue surpris*, Denoël, Paris, 1976, pp. 282-283.

(18) Ibid., p. 282-283.

Le petit Larousse donne la définition suivante de la crypte : « chapelle souterraine d'une église où l'on plaçait autrefois les corps ou les reliques de martyrs ou de saints ». Ce qui précise la nature de l'édifice dans lequel je me réfugie et qui est donc une église, le premier étant une mosquée ; ce qui traduit, par ailleurs, mon parcours du Maghreb vers l'Occident.
Je veux me cacher, j'hésite à entrer dans un squelette, je décide de placer une tête de mort à l'entrée en me disant ils ne penseront pas que je me suis cachée dans un tel endroit : cette démarche qui consiste à se cacher dans une crypte, lieu où sont entreposés les corps ou les reliques de martyrs ou de saints, pour dépister mes éventuels agresseurs, me fait penser à la démarche du prophète Mahomet qui, pour échapper à ses poursuivants, s'est réfugié dans une grotte dont l'entrée a été miraculeusement recouverte par une toile d'araignée à proximité de laquelle se trouvait une colombe, pour attester le caractère inhabité des lieux et tromper ses agresseurs et poursuivants. La tête de mort à l'entrée de la crypte signifierait en ce qui concerne mes poursuivants : « Ici, on ne pense plus, on est mort. »

Une récapitulation des résultats de l'analyse de ce rêve semble nécessaire dans la mesure où elle pourra montrer comment mes préoccupations concernant le dévoilement de la femme se sont manifestées à trois reprises sous des aspects différents, orientant ainsi ma réflexion dans trois directions différentes.

La première que l'on pourrait qualifier de tentative d'accès à la parole sous forme d'un discours sur le langage de la femme : « Du seul fait de l'allocution, celui qui parle de lui-même installe l'autre en soi et par là se saisit lui-même, se confronte, s'instaure tel qu'il aspire à être et finalement s'historicise » (19). Cependant, cette tentative d'historicisation rencontre la désapprobation, la négation.

La deuxième tentative concerne l'accès au dehors ; elle aussi est barrée. L'avènement de la femme dévoilée dans un monde organisé par l'homme et pour l'homme constitue une effraction pour lui, sa réponse ne peut être

(19) Benveniste (E.), « Remarques sur la Fonction du langage dans la découverte Freudienne », in *La Psychanalyse*, PUF, Paris, 1956, p. 6.

qu'agressive ou (et) sexuelle. La place de la femme est à l'intérieur, celle qui s'affranchit est considérée comme « une fille du dehors », équivalent de « putain » et propriété de tous.

La troisième tentative, qui est l'accès au savoir, est tuée.

Je retrouve donc les deux axes par lesquels je veux aborder ce dévoilement ; le dévoilement d'un corps, d'une pensée, leur mise en circulation au travers du premier axe qui est le discours.

- Ce sera assurément une démarche tâtonnante.
- Mais n'est-ce pas celle de tout chercheur à la recherche d'une « certaine vérité » ?

Il s'agit de « la femme algérienne et le dévoilement », et je suis algérienne et dévoilée, ayant vécu ce processus si ce n'est directement, du moins dans mon entourage le plus immédiat. Cette marque que je porte en moi - voilée-dévoilée - constitue mon point d'achoppement qui aura beaucoup gagné à être analysé en fonction du contre-transfert, dans la mesure où cette étude est venue raviver des conflits plus ou moins bien dépassés.

En outre, cette recherche, pour être efficace, dans la mesure où elle suppose la résolution d'une énigme, exige du chercheur un effort autrement plus grand, car ce qu'il est censé mettre à jour, il le puise dans ce fond commun qu'il partage avec la population à laquelle il appartient et sur laquelle il fait sa recherche. Il est donc, non seulement question de contre-transfert, mais de dévoilement du secret qui s'est mué en dissimulation, à propos de laquelle Masud Khan nous dit : « La fonction de la dissimulation n'est pas seulement de protéger le soi des empiétements auxquels a à faire face un Moi en état d'évolution, mais encore vulnérable ; elle est aussi de protéger les personnes importantes qui assurent les soins dans l'environnement familial de l'enfant » (20). Le dernier bastion de la résistance se trouve donc lié au monde des femmes avec lequel je partage le secret. Cependant, une motivation plus grande me pousse à aller jusqu'au bout dans la mesure où le « secret con-

(20) Khan (M.), « Tric, trac d'un secret à l'autre », in NRP n° 14, Ed. Gallimard, Paris, 1976, pp. 231-239.

tient en lui l'espoir que la personne sera un jour capable d'en émerger pour être retrouvée, rencontrée et devenir ainsi une personne à part entière, qui partagera sa vie avec les autres » (21), et aura une parole à soi, un corps désirant et l'accès au savoir.

(21) Ibid.

DEUXIÈME PARTIE

SYSTÈME DE PARENTÉ ARABE
ET VOILEMENT DE LA FEMME

I

SYSTÈME DE PARENTÉ

Mon postulat de départ est que le premier voile de la femme est représenté par la congrégation formée par le père, les oncles, les frères et les cousins. C'est la première enceinte qui protège la femme du dehors. En outre, l'isolement dans l'immensité du désert va être le plus sûr rempart contre toute ingérence étrangère. Ceci va m'amener à étudier le système de parenté arabe dans sa particularité : l'endogamie, et son aboutissement, la tribu.

Cependant, avant d'aller plus loin dans la définition de la tribu quant à sa fonction et son but, je ferai un bref détour par la préhistoire, pour tenter de saisir le moment de son apparition. Puis j'essaierai de comprendre la réticence des historiens contemporains par rapport à la notion de tribu, et celle des ethnologues par rapport à celle de l'endogamie.

1) Un bref détour par la préhistoire

« Vivre entre soi », tel pourrait être le titre de mon étude, dit Germaine Tillion au cours de son travail sur « Le harem et les cousins » (p. 63). C'est une formule qui semble convenir à cette volonté acharnée de ne pas échanger..., de garder toutes les filles de la famille pour les garçons de la famille. Volonté qu'elle rencontre durant son séjour au Maghreb, dans les différentes ethnies qui le composent et à propos desquelles elle nous dit que : « L'endogamie n'est pas uniquement arabe ou uniquement berbère. Elle appartient à la plus vieille « personnalité » berbère et à la plus vieille « personnalité » arabe » (1). C'est, en

(1) Ibid., p. 120.

outre, une caractéristique qui dépasse largement cet ensemble arabo-berbère, s'étend au domaine sémitique, et même plus loin encore, à l'ensemble de l'ancien monde. Quant à sa diffusion, elle est déjà étendue au moment où débute l'Histoire, et suggère une origine, à coup sûr, préhistorique.

Les premiers Arabes, qui nous sont signalés depuis la plus haute antiquité par des représentations et des textes égyptiens, le sont à travers cette caractéristique : « Le vivre entre soi ». Il est dit qu'ils s'appelaient « de divers noms, surtout "Amou", après une certaine époque » (2). Ceci évoque déjà les liens de fraternité et de cousinage qui existent entre les différents éléments du groupe. « Nomadisme perpétuel et fraternité de sang... etc. » (3) évoquent, on ne peut plus, les mœurs des Arabes nomades.

Ils ont été situés très tôt en Syrie, Palestine, Sinaï et Midian. C'était des cultivateurs néolithiques du croissant fertile, qui utilisaient les herbages du désert florissant en hiver et au printemps pour y faire paître leurs troupeaux de petit bétail. La domestication du dromadaire fut à l'origine de leur nomadisme chamelier.

A partir du IXe siècle avant J.-C., les textes akkadiens et hébraïques situent dans le désert syro-mésopotamien et le Nord-Ouest de l'Arabie une population dénommée en akkadien Aribi, Arabu, Arubu, en hébreu 'Arab. D'après les noms propres que portaient ces gens, il s'agissait effectivement d'Arabes.

« La plus ancienne mention indiscutable des Arabes remonte à 853 avant J.-C. Cette année-là à Qarqar, en Syrie, le roi d'Assyrie, Salamanasar III, vainquit, suivant ses dires, les troupes coalisées des rois de Damas, de Hamath, d'Israël, d'Ammon et de Cilicie, ainsi que mille chameliers « de Gindibu du pays d'Arbâi » (4).

Les premiers Arabes sont donc déjà caractérisés par les liens de cousinages. L'endogamie est à l'œuvre dès le début. Elle sera accentuée par le nomadisme chamelier, qui les éloignera des cités et marquera, pour des millénaires, tous les originaires de l'Arabie. Comme un collier de perles, il leur arrivera de rompre le fil qui les attache au même clan, à la même tribu, ils s'éparpilleront dans le monde.

---

(2) Encyclopaedia Universalis, Paris, 1980, vol. 2, p. 222.
(3) Ibid., p. 222.
(4) Ibid., p. 222.

Mais comme le destin d'une perle c'est d'être enfilée, ils le seront à nouveau, pas à la même place, mais toujours selon le même principe : « Vivre entre soi ».

2) La réticence des historiens contemporains par rapport à la notion de tribu

Dans les écrits des historiens contemporains, le terme de tribu prend une coloration polémique et un sens nouveau. Selon A. Laroui : « Le système tribal sous tous ses aspects et avec tous ses sous-systèmes doit être décrit au moment où il apparaît ou réapparaît en histoire, après la conquête romaine, et non pas comme un système de base à l'origine de l'histoire. Son importance durable dans le passé du Maghreb n'est pas d'avoir été le fondement d'une évolution ou d'une stagnation, mais la réponse créée ou reprise (c'est finalement tout un) dialectique à un bloquage historique. De cela vient son aspect de permanence, de défense de soi-même, d'attachement traditionnel et aussi de transition, de solution conçue dans l'attente de repasser le "limes". Il dure parce que le transitoire dure » (5).

Nous retrouvons cette même position chez A. Khatibi, qui considère que le système tribal est plus un phénomène induit par des causes extérieures que lié à une loi endogène.

Ce côté polémique qui nous a paru marquer l'œuvre de A. Laroui, ainsi que celle de beaucoup d'autres écrivains maghrébins, la suspicion dans laquelle ils tiennent la notion de tribu est légitimée par plus d'un siècle de falsification de l'histoire du Maghreb.

Ces travaux viennent en réponse à un certain nombre d'assertions de la part des historiographes de la période coloniale, qui ont fait du passé du Maghreb une histoire de querelles tribales, et posé de façon définitive la différence entre le Berbère et l'Arabe, le nomade et le sédentaire.

Le nomade étant l'Arabe qui « a une préférence profonde pour le désordre, qui le laisse ouvert à toutes les perspectives. C'est un destructeur, un négateur. » Le sédentaire étant le Berbère, mais « la Berbérie (le Maghreb) n'a

---

(5) Laroui (A.), *L'histoire du Maghreb*, t. I, F.M./P.C. Maspéro, Paris 1976, pp. 60-61.

jamais été une nation ; elle n'a jamais construit un Etat autonome ; elle a toujours fait partie d'un empire... Les Maghrébins ne sont que des éternels conquis, qui n'ont jamais réussi à expulser leurs maîtres » (6).

Selon C.-H. Bousquet : « Ces sociétés nord-africaines dans leur anarchie tribale, avec l'opposition des sédentaires et des nomades, de leurs droits religieux d'une part, coutumiers de l'autre ; des citadins et des rustiques ; des « Arabes » et des Berbères, avec ces groupes sociaux qui se combattent parfois jusque dans une même ville, où ils sont groupés par quartiers séparés (ex. Ouargla), ne sont en réalité unis que par le seul Islam... » (7).

Ceci justifie largement à leurs yeux, l'entreprise civilisatrice de l'ère coloniale. Mais auparavant, il faut extirper, chez ces « sauvageons de la Barbarie » (D. Chellier), les racines de ce mal insigne, en commençant par réprimer en eux tout un acquis historique, une religion et une langue, et d'arriver ainsi à l'homme sans culture qu'on pouvait alors civiliser (A. Laroui).

Ce projet est atteint, dans un certain sens. La destruction de tous les liens qui attachent le Maghrébin à tout un monde socio-culturel et religieux beaucoup plus vaste est menée de façon systématique.

Pour se dégager de cette entreprise d'éradication de ce qui fait son être profond, il doit se replier sur lui-même et puiser dans ses racines les plus profondes. D'où l'agacement qu'il suscite chez le colon et que traduit J. Berque dans ces termes : « Cet "indigène", et avec lui tout ce qui le touche - ses nourritures, son champ -, je veux littéralement me l'approprier. Mais toujours une part de lui m'échappe, fût-il devenu mon serviteur, mon goumier, mon ouvrier, ma "Fatma"' ! Contre l'aliénation, il maintient sa personne, dans des zones de lui où je ne parviens pas ; sa foi, sa sexualité, sa violence aux aguets, son espoir. Or, cette obscurité qui l'oppose à moi, malgré les conquêtes de mon administration, de ma science, de mon agriculture, de mon projet dans tous les domaines, ce que je ne pos-

---

(6) Gautier (E.-F.), *Histoire de l'Afrique du Nord ou les siècles obscurs du Maghreb*, Payot, Paris 1937, pp. 72, 374, 114 in Hermassi (E.), *Etat et société au Maghreb*, Anthropos, Paris, 1975, p. 42.

(7) Bousquet (C.H.), *L'Islam maghrébin*, La Maison des Livres, Alger, 1950, pp. 20-21.

sède pas, et que je convoite et regrette : est-ce ce qui demeure de « barbarie », ou est-ce un refuge de la liberté humaine ? » (8)

Sa liberté, sa terre, sa religion, sa langue, il les reprendra un jour, mais au niveau historiquement le plus bas (A. Laroui). Ce qui justifie l'urgence des travaux des historiens en quête de la vérité de tout un peuple, pour éventer toutes les falsifications et combler le vide créé à dessein autour du Maghrébin.

Ainsi, selon A. Laroui, le système tribal doit être défini lorsqu'il apparaît ou réapparaît, en fonction du contexte historique. Il serait donc un mécanisme de défense, une attitude de repli sur les valeurs essentielles, lorsqu'un peuple se trouve menacé. Ce serait donc une position défensive face à la virulence d'un ennemi beaucoup plus fort, plutôt qu'une attitude figée depuis des millénaires. Cependant, aussi loin qu'on remonte dans l'histoire, comme nous l'avons vu plus haut, le système tribal constitue le mode d'organisation privilégié de la société maghrébine : « L'agrégation des familles, qu'on désigne sous le nom de tribu, peut-être considéré comme l'unité politique... » (9). Quant à l'endogamie qui la sous-tend, elle vient renforcer la cohésion tribale par des mariages entre cousins dans la lignée paternelle.

Si le système de parenté endogamique a pour fonction le renforcement de l'unité du groupe et la conservation du patrimoine à l'intérieur de la lignée, il a aussi pour fonction la protection des éléments faibles du groupe, en l'occurrence la femme et, à ce titre, il constitue son premier voile.

3) La réticence des ethnologues

Elle a été abordée lors du colloque sur la sociologie de l'Islam qui s'est tenu à Bruxelles, en septembre 1961. J. Chelhod nous rapporte la position de deux éminents spécialistes des sociétés musulmanes qui ont dressé, simulta-

---

(8) Berque (J.), *Le Maghreb entre deux guerres*, Ed. du Seuil, Paris, 1979, p. 67.
(9) Augustin (B.), in Hermassi (E.), *op. cit.*, p. 44.

nément et indépendamment l'un de l'autre, le même procès-verbal de carence :

- Robert Brunschvicg : « Ce que l'étude, par exemple, des sociétés dites naguère « primitives », a apporté de matériaux inédits et de première importance à la sociologie, à la psychologie, n'a pas son équivalent à partir de l'Islam » (10).

- J. Berque : « Ce secteur est l'un des plus mal connus. Il n'a, malgré sa prodigieuse richesse, malgré l'intérêt passionné qu'il provoque, fourni a presque aucun des développements modernes des sciences humaines. Pour nous en tenir à l'exemple français, l'anthropologie durkheimienne s'est fixée sur les Arunta, plutôt que sur les Kabyles, et Levi-Strauss emprunte plus franchement son matériel aux Indiens d'Amazonie qu'aux Nord-Africains, que nous coudoyons » (11).

On se demande, à la suite de ces auteurs et en voyant l'intérêt grandissant des jeunes chercheurs pour les études ethnologiques, quelles peuvent être les causes qui les détournent du champ d'investigation arabo-musulman ? J. Chelhod en énumère un certain nombre. Il y aurait, en premier lieu du côté arabe, la méfiance des ethnologues, qui furent pendant longtemps associés à l'impérialisme. En effet, ils fournissent à l'occupant des renseignements précieux pour l'élaboration de sa stratégie politique, par une étude sur le terrain de l'organisation interne des différentes tribus, de leur mœurs et coutumes, des rivalités antiques qui les opposent les unes aux autres et dont l'amplification a permis la destruction d'un équilibre social qui était vital.

Il y eut, par ailleurs, d'autres ethnologues qui, en approchant cette population, apprirent à la connaître, à l'aimer et furent ses meilleurs défenseurs contre la colonisation.

Toujours du côté arabe, le rejet des ethnologues serait lié à la discipline même, l'ethnologie, dont le but serait « l'étude des peuples sauvages ». On comprend dès lors

---

(10) Brunschvicg (R.), in Chelhod (J.), « Ethnologie du monde arabe et Islamologie », in L'homme, *Revue française d'anthropologie*, Paris, 1969, pp. 24-40.
(11) Ibid., pp. 25-26.

leur méfiance, dira J. Chelhod, « eux les héritiers d'une des plus brillantes civilisations et dont la littérature compte, sans doute, parmi les plus riches du monde classique » (12).

Mais cependant, du côté des ethnologues, les réticences sont aussi révélatrices de la difficulté à aborder le phénomène qui nous préoccupe, à savoir l'endogamie. J. Chelhod saura les cerner avec beaucoup de perspicacité. Il évoque toutes les difficultés liées à l'approche de ce peuple qui a une écriture et une longue histoire et, par conséquent, impose à tout chercheur, pour que ses résultats soient satisfaisants, qu'il réponde aux exigences de la diachronie et de la synchronie.

Cependant, au-delà de ces difficultés qui sont liées à toute recherche quelle qu'elle soit, J. Chelhod parle du principal obstacle qui se manifeste sous forme de blocage psychologique, qui fait barrage au fonctionnement intellectuel parce qu'il entre en résonance avec des conflits plus ou moins bien refoulés.

Nous retrouvons les dires de G. Devereux, mais écoutons ce qu'en dit J. Chelhod : « Les difficultés de l'approche diachronique, dans le secteur arabe, ne justifient pas, à elles seules, la passivité des ethnologues. Ces derniers sont également rebutés par certains caractères plus ou moins anormaux (*sic !*) de l'organisation sociale des Arabes. De ce point de vue, c'est l'institution matrimoniale qui leur semble particulièrement en marge des pratiques couramment observées. Comme on le sait, le mariage typiquement arabe se fait à l'intérieur du groupe ; de préférence avec la fille du frère du père, la fameuse « bint'amm ». Habitués aux unions exogamiques, avec la cousine croisée, les ethnologues se trouvent en face d'un système diamétralement opposé, dans lequel l'homme choisit sa femme dans la parenté agnatique la plus proche, au point de frôler l'inceste... Pour l'analyse scientifique, ce système ne présente guère plus de difficultés que celui des sociétés exogamiques. Pourtant, il a complètement dérouté les ethnologues, parce qu'il les éloigne sensiblement des notions fondamentales auxquelles ils sont habitués. Aussi, se sont-ils arrêtés devant lui « comme devant une sorte de royaume

(12) Ibid., p. 31.

interdit ». A vrai dire, cet espèce de tabou ethnologique, qui frappe le monde arabe, semble également dû à des causes psychologiques » (13).

D'autre part, J. Chelhod nous dit que l'ethnologue qui a su dépasser les difficultés liées à la structure de sa personnalité va se heurter à une nouvelle difficulté, liée cette fois-ci à l'indifférence de ses collègues, sans compter que ses recherches provoquent souvent la suspicion des islamologues. Nous nous trouvons donc en face d'une triple résistance : celle du chercheur, de ses collègues et des islamologues.

A son tour, J. Chelhod, qui semble avoir clairement cerné l'origine du problème, avance ce genre d'assertion : « Pourtant, quand on y regarde de plus près, ce double comportement négatif paraît bien étrange, surtout de la part des ethnologues. Ces derniers vont, en effet, jusqu'au bout du monde pour trouver ces conditions privilégiées de l'observation que leur offrirait une société sensiblement différente de la leur et, lorsque ces mêmes conditions se présentent aisément à eux, ils reculent devant elles, comme saisis d'une terreur sacrée » (14).

Est-ce un effet de style ou une brusque amnésie ? Nous nous trouvons directement confrontés à cette angoisse du chercheur face à un matériel ethnographique qui, selon G. Devereux, menace de saper les défenses ou les sublimations principales. Ce contre quoi se défendent les différents ethnologues se trouve exprimé de façon abrupte par Kateb Yacine dans son livre « Nedjma » : « Notre tribu, mise en échec, répugne à changer de couleur, nous nous sommes toujours mariés entre nous, l'inceste est notre lien, notre principe de cohésion depuis l'exil du premier ancêtre... » « Promiscuité au fond des grottes et des ravins ou endogamie incestueuse ? De toute façon, l'indivision tribale et la cohésion sont maintenues. Les temps anciens sont ceux du vivre "entre nous", dans le sein chaud de "la grotte nuptiale", où il fait bon vivre ensemble » (15).

Nous retrouvons presque mot pour mot le même pas-

(13) Ibid., p. 37.
(14) Ibid., p. 38.
(15) Dejeux (J.), « Les structures de l'imaginaire dans l'œuvre de Kateb Yacine », in *Mélanges*, Le Toureau (R.), Aix-en-Provence 1973, t.I, p. 272.

sage mais, cette fois, il se trouve en conclusion d'une œuvre très importante d'un éminent ethnologue, C. Lévi-Strauss : L'Homme s'accommode mal de l'échange. « Jusqu'à nos jours, l'humanité a rêvé de saisir et de fixer cet instant fugitif où il fut permis de croire qu'on pouvait ruser avec la loi d'échange, gagner sans perdre, jouir sans partager... Douceur, éternellement déniée à l'homme social, d'un monde où l'on pourrait vivre entre soi » (16). Ce passage a la consonance d'une douce rêverie, d'un fantasme qui doit se maintenir à l'état fantasmatique, aussi bien pour ceux qui sont l'objet de cette étude, que pour l'auteur. Nous en avons pour preuve l'immense détour qu'il fait pour retrouver et valider des structures sociales exogamiques et les déclarer comme des lois universelles ; alors qu'à quelques kilomètres de là, de l'autre côté du bassin méditerranéen, se trouvent des sociétés ni débilitantes, ni périclitantes et qui opposent un « défi redoutable » à ces lois dites ou voulues universelles.

Nous considérons, ici, l'ancien monde arabe ainsi que le Maghreb, dont le système de parenté est l'endogamie et dont la politique pourrait, selon G. Tillon, se résumer dans ces trois mots : « natalité, racisme et esprit de conquête ».

Nous nous trouvons au cœur même de cette question que C. Lévi-Strauss qualifie de « scandaleuse », la prohibition de l'inceste, que semble défier ce type de société.

---

(16) Levi-Strauss (C.), « Les structures élémentaires de la parenté », Ed. Mouton & Co. et Maison des Sciences de l'Homme, Paris, 1967, pp. 569-570.

II

LE SYSTÈME DE PARENTÉ CHEZ LES ANCIENS ARABES

Nous avons un premier aperçu de l'organisation interne de la tribu à travers la définition qu'en donne J. Chelhod : c'est « un ensemble de groupes se disant issus d'un même ancêtre, partageant les mêmes croyances, obéissant aux mêmes institutions, soumis à un même chef et se défendant contre les mêmes ennemis. Le souvenir des combats héroïques, la lutte pour les mêmes intérêts, les sentiments de piété et le devoir de vengeance envers les chers disparus ; tout cet ensemble d'actions et de réminiscences guerrières cimente la cohésion tribale et en assure la pérennité » (1).

Quant à la structure de la parenté, elle peut être représentée de façon schématique comme un enchaînement de groupements agnatiques : « La tribu qui contient la fraction, qui contient le clan, qui contient le lignage, qui contient la famille » (2).

Ils prétendent tous que le même sang coule dans leurs veines, et la seule chose qui les différencie serait le degré d'éloignement par rapport à l'ancêtre. A la base de ce système social, il y a la 'Osra, vaste famille patriarcale, à l'intérieur de laquelle la vengeance du sang est exclue, du moins en principe. Cette 'Osra se compose de plusieurs familles nucléaires. Quant à son volume, il peut atteindre une centaine de personnes.

Le terme de 'Osra ou « Ahel, signifie la famille prise au sens strict et comprend le père, la mère, les enfants

(1) Chelhod (J.), *Introduction à la sociologie de l'Islam*, Ed. Besson & Chantemerle, Paris, 1958, p. 53.
(2) Chelhod (J.), « La parenté et le mariage au Yemen », in *L'Ethnographie*, Ed. Gabalda, Paris, 1973, p. 51.

et les petits-enfants vivant sous un même chef et sous un même toit. Elle tire son importance du nombre et de la capacité des enfants mâles. On ne dira pas, en effet, d'une famille arabe qu'elle est illustre si elle ne compte pas - ou n'a pas compté - un certain nombre de fils ; car le père n'a aucun sujet de se glorifier de ses filles. S'il faut croire quelques nomades, à peine ces dernières entrent-elles en ligne de compte dans la constitution de l'Ahel » (3).

L'autorité de ce groupe revient au patriarche, et, à sa mort, au plus âgé de ses enfants ; mais souvent c'est au plus capable que reviendra cette autorité. Ce qui ne va pas sans conflits. En effet, le statut de chef de famille n'étant pas institué, c'est le plus fort qui va le prendre de fait.

Plusieurs 'Osra forment une 'Açaba ou Badana, large groupement agnatique dont les membres, issus d'un même ancêtre dont ils portent le nom, sont solidaires les uns des autres. En cas de conflit armé, tous doivent répondre à l'appel du 'Aquil ou Sage, leur chef commun. La 'Açaba est un sous-clan et plus précisément une lignée. Quand elle se fixe au sol, elle forme un village auquel on donne parfois le nom de Beyt (demeure), suivi du nom de l'ancêtre fondateur.

A ce niveau de l'architecture sociale, la pureté du sang est un mythe. On note déjà la présence d'éléments étrangers, clients ou protégés, qui vont être, après quelque temps, totalement assimilés. Il est important de souligner ce type de fonctionnement endogamique, qui se caractérise soit par un rejet total de ce qui n'appartient pas au groupe, soit par l'absorption et la dissolution de la caractéristique étrangère de celui qui cherche à faire partie du groupe.

Cependant, cette société, dont le souci constant est la pureté du sang de son lignage, a su développer une science : la physiognomonie, qui va lui permettre de rappeler à celui qui a bien su se fondre dans le groupe, qu'il reste malgré tout un étranger et ne peut prétendre au même statut et rôle que celui dont le sang est pur.

Après le clan, nous arrivons à la tribu, qui rassemble plusieurs clans et dont la fonction est plus politique qu'éco-

(3) Jaussen (P.-A.), *Coutumes des Arabes au pays de Moab*, Ed. J. Gabalda & Cie., Paris, 1908, p. 11.

nomique. Son existence est mise en avant lorsque l'une ou l'autre des unités qui la composent est menacée.

Le système matrimonial

Le témoignage ethnographique, nous dit J. Chelhod, permet d'affirmer que le bédouin répugne à l'idée de marier sa fille en dehors du cercle de la parenté agnatique (4).

A l'origine de ce refus, il semble qu'il y ait les fréquentes dissensions qui opposent les uns aux autres, les membres d'une même tribu et parfois d'un même clan. Donner sa fille en dehors de son groupe, c'est la couper de ses liens très étroits qu'elle a tissés avec les membres de sa « 'Osra », dans la solitude du désert, les longues transhumances, la lutte contre un ennemi commun, la nature, quand ce n'est pas un autre clan ou une autre tribu. La retirer du groupe revient donc presque à la couper de ceux avec qui elle faisait corps, et la livrer à un autre groupe, tout aussi compact, qui ne l'intégrera jamais ou l'incorporera, mais au prix d'une annihilation de tout ce qui faisait sa vie relationnelle jusqu'alors.

Il ne nous semble pas qu'il y ait exagération lorsque nous voyons ce genre de survivances, même actuellement, au niveau des grandes familles citadines, donc éloignées des conditions de vie hostile du désert, mais qui gardent malgré tout cet esprit de clan, ce mépris et cette hostilité à l'égard de tout ce qui n'est pas le groupe d'appartenance.

Dans un tel régime matrimonial, les véritables protecteurs de la femme sont les agnats. C'est pourquoi le mariage en dehors du groupe est d'autant plus désavoué que les preneurs nomadisent loin du secteur fréquenté par les donneurs.

D'autre part, étant donné la solidarité qui existe à l'intérieur de chaque groupe et l'esprit belliqueux des bédouins, qui les rend prompts à s'élever les uns contre les autres, prendre une femme d'un groupe étranger devient dangereux pour les preneurs et humiliant pour les donneurs.

A partir de là, nous pouvons comprendre le droit reconnu à l'Ibn'Amm sur la fille du frère de son père.

---

(4) Chelhod (J.), *op. cit.*, p. 26.

La nécessité fait force de loi. Or, à ce moment-là, c'était une nécessité vitale dont l'enjeu était soit la vie de la fille qu'on donnait, soit la vie de la tribu preneuse en cas de conflit.

On peut déjà tirer un certain nombre de conclusions dont la plus déterminante est que les caractéristiques de la vie nomade dans le désert favorisent la cohésion du groupe. Ce qui donne naissance à ce que G. Devereux appelle une Gemeinschaft : une communauté à solidarité organique, qui se meut au même diapason. « Toute atteinte portée à l'un de ses membres est ressentie par l'ensemble et provoque la réaction du tout. »

Dès lors, ces nomades, si prompts à répondre à l'appel du sang, le feront d'autant plus lorsqu'on touchera à ce qu'ils considèrent comme étant l'élément le plus faible, le plus central du groupe : la femme. Ils seront donc le premier bouclier, le premier voile de la femme dans le sens d'une protection (Hidjab).

III

LE FONCTIONNEMENT INTERNE DE LA TRIBU

Jusqu'alors, nous nous sommes préoccupés des superstructures telles que la tribu, le clan, la famille. Nous avons vu la dimension et la cohésion qu'elles pouvaient atteindre, grâce à un système de parenté qui rappelle « la multiplication cellulaire » (Chelhod) ; le mythe vient renforcer cette réalité et souvent la dépasser. Les liens de sang, qu'ils soient réels ou fictifs, l'homogénéité du groupe, sont partout proclamés, surtout aux étrangers ; il faut toujours leur présenter un front uni.

Cependant, des proverbes donnent la mesure de la réalité que nous ne pouvons que soupçonner ; tant de promiscuité ne peut aller sans frictions. Un Kabyle dira : « Je hais mon frère, mais je hais ses ennemis encore plus ». Des proverbes arabes généralisent ce principe : « Moi contre mon frère, mon frère et moi contre mes cousins ; mes cousins, mes frères et moi contre le reste du monde. »

Ces querelles intestines existent, mais elles sont nécessairement dépassées, parce qu'il y a toujours quelque part un ennemi qu'il faut détester en commun et contre lequel se liguer. Freud nous dit : « C'est formidable un groupe, c'est tout prêt à s'aimer, à condition qu'il y ait quelqu'un à côté pour recevoir les coups » (1). A un niveau plus ethnologique, J. Chelhod (2) ira même jusqu'à dire que la tribu ne prend conscience de son individualité que par suite d'une grande rivalité avec d'autres groupes similaires.

Un autre exutoire à l'agressivité du groupe se présente en la personne de l'ancêtre éponyme, ce mort qui est tué régulièrement, chaque année rituellement, et à propos

---

(1) Freud (S.), cité par Sibony (D.), *Le groupe inconscient, le lien et la peur*, Ed. C. Bourgeois, Paris, 1980, p. 10.
(2) Chelhod (J.), *op. cit.*, p. 53.

duquel Daniel Sibony nous dit : « Dans ce qui lie un groupe, il y a bien sûr la mort du père, idéalisée, son cadavre qu'on mâche ensemble, qu'on ressasse, qu'on retue, rituel ou pas, et bien sûr le rapport à ce cadavre fait la différence entre un groupe mort et un groupe vivant, ce dernier n'étant pas forcément joyeux, dansant, « libéré », mais capable - rien que ça - de déplacer les effets de mort qu'il secrète lui-même » (3). Ceci semble particulièrement bien s'appliquer à notre groupe.

L'ancêtre éponyme est littéralement celui qui donne son nom au groupe et auquel s'apparente chaque membre, même s'il porte un nom différent, d'où une double filiation. C'est une pratique encore très courante au Maghreb. Le commentaire d'un informateur de G. Tillion va nous la rendre plus vivante : « Tu demandes si les Ouled Ahmed ben Yahya sont cousins ? Naturellement, ils sont cousins. Tous les gens de la même ferqa sont cousins...tu dis comment un Ouled Zyane comme moi peut être cousin avec les Bellouni qui sont juifs, et avec les Ouled Aziz et tous les autres qui sont quand même des Ouled Ahmed ?... Autrefois, quand un type a une grande valeur, les gens de la ferqa lui disent : sois avec nous comme notre frère pour fortifier la ferqa... et aujourd'hui parce qu'il est de ma ferqa, il est mon frère ; il se jette pour moi et je me jette pour lui » (4).

Selon les circonstances, telle personne se présentera sous son nom usuel ou sous le nom noble de son groupe d'appartenance. L'utilisation du nom usuel se fait pour les démarches courantes. Par contre, dès que la dimension relationnelle entre en ligne de compte, faire valoir son appartenance noble, en se présentant en tant que descendant d'un ancêtre illustre, devient une nécessité aux yeux de l'autre, qui ne vous considère que sous l'angle tribal. Cet ancêtre fondateur de la tribu s'est généralement illustré par une conduite ou des actes qui ont donné naissance à l'histoire du groupe et l'ont enraciné en lui, donnant une dimension spirituelle.

En général, son tombeau ou les lieux où il a vécu sont sacrés. Une Zaouia ou Qouba y est édifiée, et une fois

(3) Sibony (D.), *op. cit.*, p. 9.
(4) Tillion (G.), *op. cit.*, p. 140.

l'an ses descendants se retrouvent pour commémorer dans la joie cet ancêtre commun. Rassemblement de tribus qu'a observé E. Dermenghem et qui « donnent lieu à un grand déploiement de faste, d'armes, de costumes et de harnachements, d'éloquence et de jactance aussi. Les Meddahs, les poètes qui célèbrent les mérites des saints et les exploits des héros, s'arrêtent de temps en temps pour entonner les louanges d'un assistant qui fait un don généreux. De nombreuses tentes s'installent aux alentours ; d'autres plus près pour les commerçants, les musiciens, les restaurateurs, les médecins, les arracheurs de dents, etc » (5).

Mais en dehors des festivités, chacun viendra auprès de cet ancêtre avec un vœu particulier et le sollicitera pour qu'il soit exaucé ; c'est que, au-delà de la mort, il continue à étendre sa protection sur « ses enfants ».

Nous voyons donc un groupe se libérer une fois l'an de la mort qu'il secrète, qu'il porte en lui, et la décharger à la faveur de cette rencontre autour d'un père idéal. Ce rassemblement autour de ce mort permet le déplacement de l'agressivité et donne l'occasion aux différentes familles de renouer des liens plus ou moins distendus par les tiraillements ou par la distance, et ceci « au nom de l'ancêtre commun », injonction à laquelle il est très difficile sinon quasiment impossible de se dérober. C'est ce qu'on appelle le « Djah » : formule quasi sacrée qui vient de « Wadjh » : la face qui chez l'ancien Arabe, le nomade contemporain, comme le citadin actuel, désigne la totalité de l'être et surtout une personnalité marquante.

Au fur et à mesure de ces développements, le groupe apparaît comme une entité en soi, une individualité. Il a un nom qui est celui de l'ancêtre fondateur, un capital symbolique légué par ce même personnage, des traits de caractère qui lui sont propres ; ainsi, un groupe peut être « doué pour le commerce, l'autre pour la plaisanterie, celui-ci versatile, celui-là rusé... » (6).

Mais en plus, le groupe est porteur de signes inscrits en chacun de ses membres, ce qui leur permet de se recon-

(5) Dermenghem (E.), « Le culte des saints dans l'Islam Maghrébin », *Tel*, Gallimard, Saint-Amand 1982, p. 206.
(6) 'Achâ'ir al-'râq, t.I, pp. 171 sq., cité par Berque (J.), « Expression et signification dans la vie Arabe », in *Revue française d'anthropologie*, janv.-avril 1961, p. 55.

naître, même s'ils ne se sont jamais rencontrés, grâce à la firâsa ou qiyâsa, qui est un art cultivé très tôt par les anciens Arabes et que J. Berque qualifie de science inductive : « C'est l'aptitude à reconnaître un enfant comme procédant de telle ou telle branche. Le muqâyis n'est pas comme le fâris, le connaisseur en chevaux. Il est le chasseur qui suit le gibier à la trace. Il arrive, par l'examen des traces d'un individu, à savoir à quelle tribu il appartient » (7).

L'événement auquel assista J. Berque lors d'un de ses voyages au Liban nous rend plus perceptible ce sens de l'observation : « Je cheminais, dit-il, l'année dernière au fond du ravin de la qadicha, que surmontent de vieux couvents, des villages escarpés, et la maison d'été du patriarche. Tout au fond de ce ravin, l'ami libanais qui était avec moi, vêtu à l'européenne parlant français, héla un paysan qui passait, en charwâl. Le paysan le regarda et lui dit dans son dialecte archaïque : « Enté min rubû 'nâ », « tu es de notre quartier, de notre clan. » Il l'avait reconnu à des signes impalpables comme un de ses cousins, bien que ne l'ayant jamais rencontré auparavant » (8). J. Berque conclut sur une note pessimiste : « De tels prodiges de reconnaissance, dont la sûreté a pour rançon l'archaïsme de l'économie, la consanguinité, un isolement à la fois voulu et subi, demeurent anachroniques et nuisibles, chaque fois que cette véhémence sémantique ne sert pas un dynamisme concret, et que, pour ainsi dire, les signes l'emportent sur les choses » (9).

Savoir distinguer ceux qui sont du groupe de ceux qui ne le sont pas ; pouvoir à l'intérieur de ce même groupe distinguer le vrai descendant du simple allié, protégé ou client, et savoir le rappeler au moment opportun à celui qui semble l'oublier, pour le remettre à sa juste place. Voilà parmi les fonctions des muqâyis, celles qui consistent à jouer le rôle de régulateur à l'intérieur du groupe, et donc de maintenir intactes la pureté de la descendance et l'unité du groupe. Le groupe fonctionnant comme une unité fondamentale.

(7) Ibid., p. 57.
(8) Ibid., p. 56.
(9) Ibid., p. 56.

IV

LES FACTEURS DE COHÉSION DU GROUPE

Jusqu'alors, nous n'avons pu dégager les contours de la personnalité bédouine. A chaque tentative, nous la trouvons complètement fondue soit dans le paysage, soit dans le groupe. L'architecture est ici au niveau de l'humain, l'individu est pris au corps. Le « penser », au sens de remise en question de soi et des autres, n'est pas de son ressort. Ce qui prime, c'est le « vivre entre soi ». Forteresse humaine dont la cohésion tient à des liens très subtils.

Cette cohésion passe d'abord par l'annihilation de la personne et tout ce qui peut contribuer à son émergence. C'est ainsi que sur le plan linguistique, dans l'ancien monde arabe, comme chez les nomades contemporains, on ne trouve pas de terme pour désigner la personne si ce n'est, selon Massignon, « le substantif "Sakhç" qui désigne "l'objet qui fixe la vue", nous réfère, comme personne, à l'aspect physique de l'homme, à son comportement, à "l'ombre apparente"... de sa silhouette périssable » (1). Il en est de même pour le nom qui est donné au nourrisson le septième jour après sa naissance. Il ne lui est pas donné pour lui permettre de se réaliser en tant que personne dans son originalité, mais c'est soit pour actualiser une valeur qui est nécessaire au groupe, tels le courage, la témérité, etc., qui ferait de lui un guerrier redoutable, soit pour actualiser le passé, en portant le nom d'un grand-père ou un aïeul.

En outre, ce prénom doit rester secret. Dès que l'enfant atteint un certain âge, il faut l'appeler soit par un surnom, soit par le prénom de son enfant à venir. C'est une pratique encore très courante actuellement dans cer-

(1) Massignon (L.), *Opéra Minora*, t.III, Paris, 1952, p. 539.

tains milieux arabes. Le prénom étant une partie intégrante de la personne, le faire savoir, c'est l'exposer à des manipulations occultes de la part de ceux qui lui veulent du mal. Ainsi, « par ce nom et ce surnom, l'Arabe actualise le passé et prépare l'avenir. Il est lui-même le point de jonction entre deux générations, une simple existence dans la continuité du groupe » (2).

Face à ce processus de dissolution de la personne sociale du Bédouin dans le groupe, vient s'ajouter la croyance en la multiplicité des principes vitaux. C'est ainsi que le Bédouin croit que chaque partie de son corps est animé par un principe vital et assure une fonction bien précise. L'âme ou la « nafs » serait localisée dans le sang. En cas de mort violente, elle reste attachée au sang répandu de la victime et crie vengeance, d'où la nécessité de la vendetta.

L'esprit ou ruh anime aussi le corps et aurait pour siège le cerveau.

Au nez serait plutôt attaché l'honneur.

Au cœur correspondrait la force, la volonté.

Le foie serait le siège de l'affectivité.

Les cheveux seraient animés par une puissance physique et identifiés à la virilité. C'est à eux que le poète de l'anté-Islam devait son pouvoir mystérieux. Comme le nom, les cheveux doivent être protégés, et leur propriétaire doit éviter qu'ils ne tombent entre les mains d'un ennemi. En fait, tout ce qui peut provenir du corps d'une personne de façon directe ou indirecte, tels que les habits, qui ont recueilli son odeur et sa transpiration et par conséquent une partie de ce qui l'anime, doivent être protégés. Nous sommes donc en présence d'une multitude de forces vitales ; toutes ne sont pas facilement maîtrisables et peuvent échapper à leur auteur. C'est ainsi que l'ancien Arabe, comme le nomade contemporain et je dirais même souvent le citadin actuel, doivent s'entourer d'un réseau complexe de protections, d'interdits et de superstitions qui limitent énormément leur champ d'actions et d'investigations, car l'univers est truffé d'ennemis visibles et invisibles.

Le visible est constitué par les personnes humaines, ennemies réelles ou potentielles. Le monde invisible est peu-

---

(2) Chelhod (J.), *op. cit.*, p. 40.

plé de « Djinn », une sorte de sacré diffus qui peut prendre forme humaine ou animale, d'où les égards dont on entoure l'invité qui peut être un messager de Dieu, certains animaux tels que les chats qui ne doivent pas être battus à la tombée de la nuit, certains lieux qu'il vaut mieux éviter à certains moments de la journée ou à la tombée de la nuit, tels que les sources d'eau, les lieux déserts, certains arbres et certaines pierres qui peuvent être le siège de forces invisibles.

Nous venons de voir les moyens mis en œuvre par un groupement dont la vitalité et la cohésion ne peuvent être réalisées qu'au détriment de la personne. Toute émergence de la personne dans son originalité est vécue comme manquement grave aux règles et coutumes du groupe. Il n'y a d'ailleurs pas de place pour elle, mais plutôt pour l'individu en prise avec la multiplicité de ses principes vitaux et en butte aux mille dangers que recèle un espace animé par des forces dont il n'a aucune maîtrise. Le groupe reste donc pour lui le seul refuge.

V

LA RÉALITÉ BÉDOUINE

A partir de ce qui précède, il est permis de se demander ce qu'il en était de l'homme et de la femme bédouine à la période pré-Islamique. Existait-il un statut de la personne ? Des personnes, dans le sens de personnalités créatrices, ont-elles pu émerger et apporter quelque chose de nouveau qui a pu marquer l'évolution du groupe ?

Un problème se pose dès lors, c'est celui d'utiliser un matériel ethnologique concernant des tribus nomades plus ou moins contemporaines, pour décrire une population qui a vécu une période antérieure à l'Islam. Il semble que ceci n'a pas été problématique pour bon nombre d'ethnologues qui ont retrouvé les mêmes caractéristiques chez les anciens Arabes, comme chez les nomades contemporains. Je serais prête même à les suivre dans ce chemin, en me basant sur un principe qui était fondamental pour le prophète de l'Islam.

Il considérait comme une apostasie le retour au désert de celui qui vient d'embrasser la foi nouvelle. Très tôt, il a pu mesurer le danger que pouvait constituer la tribu, par rapport aux principes émancipateurs pour l'individu, dont son message était porteur.

Tout retour à un mode de vie tribal était donc une régression à une étape où l'homme ne jouissait que d'une faible valeur. C'est ce que semble avoir observé C.-R. Raswan, qui a vécu pendant un certain temps dans une tribu nomade contemporaine, les Rouala du Désert : « Dans les tréfonds de leur cœur, les bédouins sont toujours des païens. L'Islam ne les a que peu ou pas du tout touchés. Leur paradis, ce sont les prairies herbeuses et heureuses sur la lune. Là, tous les Bédouins vivent en paix les uns avec les autres. Ils possèdent de riches troupeaux, de nobles chevaux et des femmes éternellement jeunes. Les individus qui vivent contrairement aux lois et coutumes sont durement punis dans leur vie. Ils doivent y irriguer le pays comme des fellahs, et travailler au soleil à la sueur de leur front » (1).

Nous retrouvons donc les préoccupations fondamentales du nomade. Le paradis serait avoir des pâturages et de riches troupeaux. Ce qui leur permettrait de vivre en paix avec les autres tribus, qu'ils n'auraient plus besoin de razzier pour ne pas mourir de faim. Les femmes seront, bien sûr, éternellement jeunes. L'enfer serait le retrait de leur précieuse liberté et le travail de la terre. Ce qui n'est pas digne d'un Bédouin noble. Leurs préoccupations sont donc essentiellement d'ordre matériel, et celles de leur quotidien qui est très aléatoire.

Nous trouverons dans presque tous les écrits ethnologiques sur les tribus nomades un profil de la personnalité bédouine. Le portrait qui en résulte est très souvent en fonction de l'approche qui en a été faite. Nous exposerons donc les différents clichés et retiendrons les constantes pour notre analyse.

C.-R. Raswan nous dira de l'homme : « Comme le désert lui-même, le bédouin n'a l'air terrible qu'extérieurement. Plus on pénètre l'un et l'autre, plus on les connaît, plus on est frappé de leur innocence » (2).

M. Hayek, dans son livre « Les Arabes ou le baptême des larmes », présentera son portrait de l'Arabe : « Comme la nature excessive et heurtée qui l'a produit, l'Arabe est fait d'extrêmes qui se contrastent et se composent sans gradations de teintes et de nuances. Exacerbé par le désert, son caractère, fait de contradictions, révèle l'ambiguïté de son être spontané, où les défauts et les qualités sont encore indissociables. Courage et passivité, retenue et exubérance, magnanimité et opportunisme, égalitarisme et anarchie. Toutes les facultés natives, que l'isolement a exaltées au maximum, ont aboli les nuances » (3).

J. Chelhod dira de lui que « c'est un individualiste sans individualité, un traditionaliste sans tradition » (4).

---

(1) Raswan (C.-R.), *Au pays des tentes noires, Mœurs et coutumes des bédouins*, éd. Payot, Paris, 1936, p. 201.
(2) Ibid., pp. 9-10.
(3) Hayek (M.), *Les Arabes ou le baptême des larmes*, éd. Gallimard, Mayenne, 1972, p. 131.
(4) Chelhod (J.), *op. cit.*, p. 27.

Nous nous arrêtons quelque peu sur cette assimilation de l'homme à la nature. C.-R. Raswan, qui a su rencontrer le désert et l'homme, nous dit qu'ils ne sont terribles qu'extérieurement. Son livre, dans lequel il relate sa vie auprès des Rouala, est très riche, et les relations humaines qu'il a su établir avec eux, ou qu'il a observées chez eux, ne semblent pas manquer de nuances.

M. Hayek, qui a su rester à la périphérie, en « bon » scientifique, nous en fait un tableau assurément plus aisé. Le Bédouin est quasiment le reflet de la nature qui l'a engendré. Un être sans ombre, sans nuances, comme le désert ; le jour le révèle et la nuit l'annule. Il en est ainsi de ses traits de caractère : « c'est le jour et la nuit », rassemblés au même instant chez la même personne. Aucun travail social d'affinement n'a pu s'opérer sur cette nature humaine, qui est donc restée archaïque.

Cet archaïsme, il le retrouve au niveau de sa langue, l'arabe, et partant d'un concept psychanalytique qui fait que « la pensée est structurée comme le langage » (*sic !*), il en arrive à la conclusion logique : « L'Arabe est un être fondamentalement archaïque » (5).

C'est un discours dont la finalité est d'être clos sur lui-même. On ne peut que l'exposer ; on ne peut en débattre.

J. Chelhod se défendra d'avoir cédé à l'esprit de contraste, en énonçant une telle formule concernant le Bédouin. Mais néanmoins, elle gagnera à être explicitée, et nous permettra d'approcher un peu mieux la logique de ce comportement.

L'individualisme, en ce qui concerne le Bédouin, ne signifie pas une libre attitude vis-à-vis des valeurs et des choses sociales, car, de ce point de vue, il est avant tout un conformiste. En effet, il ne peut se désolidariser de son groupe, pour un certain nombre de raisons, entre autres géographiques et climatiques. Le désert a ses propres contraintes, malgré cette illusion de liberté qu'il donne à son habitant. Ce qui est plus une illusion d'optique, qui fait préférer au nomade la vie dans le désert, plutôt que celle, plus confinée et plus contraignante, du monde citadin.

D'autre part, les autres groupes ne peuvent le reconnaître en tant qu'individu. Il ne peut être considéré que

(5) Hayek (M.), *op. cit.*, p. 138.

comme représentant de telle ou telle tribu, et à travers lui, se profileront, pour son vis-à-vis, ses caractéristiques. Sa tribu est, d'abord, amie ou ennemie, avec pour lui le risque éventuel d'être l'objet d'une vengeance, puisque, à l'intérieur d'une même tribu, les individus sont interchangeables, et l'un peut payer pour l'autre. Ensuite, sa tribu est puissante ou faible, et ainsi de suite.

Il ne peut donc qu'appartenir à un groupe bien déterminé. Celui de sa parentèle, ou bien demander à s'intégrer dans un autre groupe qui aura pour charge de l'assimiler. Il acquerra ainsi le statut de protégé, et aura pour devoir de se conformer aux principes et coutumes qui régissent son groupe d'adoption. Ce qui fait de lui un traditionaliste sans traditions, car, encore une fois, les traditions ne peuvent se concevoir que vivantes, perpétuées par un esprit qui a su en saisir l'essence par la critique, ce qui ne semble solliciter son esprit à aucun moment. Au contraire, les valeurs du groupe, il les épouse totalement. C'est même un idéal qu'il atteint parfois, s'il sait manier le verbe. Il se présente alors aux foules qui se rassemblent lors d'une foire, comme étant « brave sans défaillance, généreux sans reproche, secourable, hospitalier, libre de sa muse, comme libre de sa personne » (6).

Ce qui n'est rien d'autre que le code d'honneur de la tribu bédouine. Quant au culte de la famille et des ancêtres, il lui tient pratiquement lieu de religion.

---

(6) Chelhod (J.), *op. cit.*, p. 24.

VI

L'AVÈNEMENT DE L'ISLAM ET SON COROLLAIRE : LA PERSONNE

Le contexte social qui voit l'avènement de l'Islam

C'est dans une période très troublée que l'Islam voit le jour. Le système collectif qui régit les tribus nomades n'est plus assez efficace pour maintenir l'ordre parmi celles qui se sédentarisent et s'installent à la Mecque et à Médine. L'effondrement de ce système collectif, qui entraîne des désordres sociaux très sérieux, n'a pas la même origine dans les deux villes.

A la Mecque, une économie mercantile très florissante voit la montée de l'individualisme, avec comme conséquence l'appropriation des biens à des fins personnels, au détriment du collectif que constitue le clan. Ceux qui en souffrent le plus sont naturellement les enfants, les vieux et les femmes.

A Médine, les troubles ont pour origine une insécurité grandissante. Des tribus se sont installées dans cette oasis, en gardant chacune son autonomie et ses particularités, nécessairement inconciliables avec celles de la voisine. De nouveau, ce sont les plus faibles qui vont pâtir de cet état de choses.

Les tribus restées nomades ne sont pas touchées par ces remous. Leur mode de vie ainsi que leur code d'honneur sont adaptés au désert. Ils deviennent inopérants lorsque les tribus se sédentarisent. Les habitants de la Mecque et du Hedjaz semblent vivre une situation sociale et économique très troublée, manifestement liée à l'essor capitaliste que connaît La Mecque — ceci provoqua la venue de nombreux étrangers et de hors-la-loi —, et au vide institutionnel qui caractérise le passage d'un mode de vie nomade à un mode de vie sédentaire.

Des réformes au plan social et économique deviennent urgentes. A cette attente s'ajoute une autre qui concerne l'être profond de l'habitant de la Mecque, cité qui est déjà le creuset de plusieurs religions. « Au judaïsme, au christianisme, au hanifisme, il y a lieu d'ajouter le manichéisme » (1). « On sentait que les temps étaient proches et que des bouleversements profonds se préparaient. La première vision coranique du monde est, en effet, celle de l'Apocalypse. La Sira se fait l'écho de cet état d'effervescence religieuse, qui suscite les espoirs et prépare la voie au "sauveur" » (2).

Il y avait donc une attente de réformes qui concerne aussi bien la vie sociale et économique que la vie spirituelle.

Pour J. Chelhod, ce mouvement de différenciation sociale était alimenté par un processus sous-jacent, qui est l'évolution interne que vivait l'individu de l'époque : « Il se repliait (donc) sur lui-même, cherchait dans son for intérieur et se découvrait. Aux richesses empruntées par lui au legs ancestral, il ajoutait les siennes propres. Eclairées par celles-ci, les traditions et les coutumes perdaient une partie de leur halo de respect. Loin de subir passivement les valeurs sociales, l'élite était à même de les vivre et de les penser. Le personnage, déchirant enfin son masque, réalisait mieux sa personne » (3).

L'avènement de l'Islam s'incarne déjà dans cette tendance vers un individualisme réfléchi et critique, qui se manifeste chez l'élite et lui fait rejeter les principes fondateurs du clan. Ceci est parfaitement illustré par la lutte qui oppose Mohamed à son clan, les Qoraychites. « D'un côté, c'est le prestige ancestral, l'inviolabilité de la tradition, la soumission à la coutume. Si les actions d'éclat personnelles étaient toujours hautement appréciées, si une grande liberté d'agir était observée, il ne demeure pas moins vrai que le système de hiérarchisation sociale maintenait toujours l'individu sous l'emprise de sa famille, de son clan et de sa tribu. En outre, du fait même de cette emprise, l'indépendance intellectuelle était singulièrement compromise par les normes sociales dans les limites des-

---

(1) Andrae (T.), « Mahomet », p. 106, cité par J. Chelhod, *op. cit.*, p. 138.
(2) Ibn Hisam, « Sîra », t. I, p. 147.
(3) Chelhod (J.), *op. cit.*, p. 139.

quelles on devait se maintenir : penser individuellement, c'était encore penser socialement, plutôt collectivement. De l'autre, c'est la libre réflexion, l'arrachement à l'autorité des anciens. Le message de Mahomet, que condense la profession de foi musulmane : « Il n'y a d'autre dieu qu'Allah, et Mahomet est son prophète », ce message s'opposait diamétralement aux institutions nationales existantes. En rejetant le polythéisme, il menaçait ce semblant de cohésion sociale qui se faisait encore tièdement autour des divinités païennes. En proclamant Mahomet le prophète d'Allah, il rejetait tout à la fois l'autorité politique et l'autorité religieuse de la cité » (4).

L'émergence de la personne

Au début de l'Islam, dans ses trois périodes Mecquoises, le Coran fait appel à l'être pensant, à la réflexion de l'individu, à son sens critique, faculté qui ne lui était pas nécessaire dans son clan, où l'immobilisme et le conventionnel sont de rigueur. Il lui révèle un message d'unicité divine. Il lui révèle le monde autour de lui et lui donne un sens. « Le Coran utilise l'univers comme un réservoir de signes (Ayât), qui manifestent la puissance créatrice de Dieu et la sollicitude du Créateur pour l'homme » (5).

Le lecteur ou l'auditeur est continuellement pris à partie, interpellé. « Le nom propre d'Allah revient 2697 fois. Tout ce qu'il dit concourt à l'affirmation de sa transcendance, de l'unité impérieuse de son être par rapport au Tu interpellé. Mais, il vise par là à élever le tu au rang d'un Je, conscient de sa propre unité physique articulée à celle du locuteur. C'est donc un être vivant qui émerge, se laisse approcher et, finalement, se donne dans sa parole. Redire cette parole, c'est s'approprier d'une certaine façon l'être qui s'y dit » (6) et s'unifier. D'où l'importance de la profession de foi monothéiste, dite devant témoin et à voix haute. Cette démarche est liée à la tradition orale, qui est aussi une autre caractéristique de l'Arabe, et à l'importance de la parole donnée en présence de témoins, qui fait partie de son code d'honneur.

(4) Ibid., p. 140.
(5) Arkoum (M.), « La Pensée Arabe », PUF, Paris, 1975, p. 13.
(6) Ibid., p. 12.

A celui qui vient de briser ses liens organiques avec sa tribu, il lui propose une communauté beaucoup plus vaste : celle des croyants. Elle a Dieu pour chef et législateur. Cette communauté est constituée par une pluralité d'individus, qui répondront individuellement de leurs actes devant Dieu. La tribu ne répond plus de ses membres. D'où une plus grande responsabilité de l'homme, une plus grande attention à ses faits et gestes. Le monde autour de lui prend un sens nouveau, lui aussi. Aux liens du sang, il substitue les liens spirituels et religieux ; à la méfiance de l'ancien monde, il substitue la confiance ; à l'isolement, la communication.

D'autre part, ce Dieu tout-puissant rassemble tout le sacré qui était diffus, et débarrasse ainsi l'espace des entraves multiples que les anciennes croyances tribales dressaient sur le chemin de ses hommes. Dieu est omniscient, omniprésent, la Terre et les cieux lui appartiennent. La peur des forces invisibles n'a plus raison d'être. Il suffit de prononcer sa croyance en l'unité divine pour faire disparaître la multiplicité, source de terreur. Il n'y a plus de limites ni de frontières. La Terre est le royaume d'Allah, et les croyants sont ses messagers. Ce message est assurément chargé d'une grande puissance mutative pour avoir fait de ces hommes frustes les conquérants de l'universel et les gérants de la modernité. Ils ne meurent plus pour d'obscures querelles tribales, mais pour faire respecter les droits de Dieu sur terre. En participant à la naissance du monde arabo-musulman, ils font l'Histoire et entrent, de ce fait, dans le processus d'évolution qui fait le monde et l'Homme.

Les réformes sociales

Sur le plan social, la période qui s'étend entre le VIe et le VIIe siècle (pré-hégirien) souffre de la même confusion que l'individu, et se trouve dans la même attente par rapport à un système plus structurant. Cette confusion, comme nous l'avons vu précédemment, touche surtout les tribus qui se sont engagées dans un processus de sédentarisation dans la région du Hedjaz.

C'est, encore une fois, l'Islam qui va prendre en charge cette tâche. Les réformes sociales et juridiques qu'il introduit sont nombreuses et touchent pratiquement tous les domaines. Nous nous intéresserons plus particulièrement à celles qui régissent le système de parenté, ainsi que le mariage. Mais un bref aperçu sur celui qui prévalait à la période pré-Islamique va nous permettre de mieux situer l'apport de l'Islam.

Il semble que la période pré-hégirienne soit caractérisée par l'interférence de deux systèmes de parenté. Un système matrilinéaire et un système patrilinéaire. En fait, il s'agit plus de tendances que de systèmes clairement établis, à l'intérieur desquels, au niveau matrimonial, il est plus question d'unions sexuelles très diverses que de mariages au sens juridique du terme.

« L'aspect le plus frappant était, en général, l'instabilité des liens matrimoniaux et l'absence de tout système de procédure juridique de contrôle » (7). Reproduites schématiquement, les deux tendances peuvent être représentées dans le tableau suivant, établi par Fatima Mernissi (8) :

	Tendance Matrilinéaire	Tendance Patrilinéaire
Loi de Parenté	L'enfant appartenait au groupe de la mère	L'enfant appartenait au groupe du père
Loi de Paternité	La paternité physique est sans importance : le géniteur n'a aucun droit sur ses enfants	La paternité physique est importante car le géniteur doit être le père
Liberté sexuelle de la femme	Étendue ; sa chasteté n'a pas de fonction sociale	Limitée ; sa chasteté est une condition indispensable pour établir la légitimité de l'enfant
Statut de la femme	Elle dépend de sa tribu pour sa protection et sa nourriture	Elle dépend de son mari pour sa protection et sa nourriture
Cadre géographique du mariage	Uxorilocal	Virilocal

(7) Stern (Gertrude), « Marriage in early Islam », The Royal Asiatic Society, 1939, cité par F. Mernissi.
(8) Mernissi (Fatima), « Sexe, Idéologie, Islam », Librairie Tierce, 1983, p. 73.

Les différentes formes du mariage pré-Islamique se présentent ainsi :
1) Le mariage à l'essai ou union libre.
2) Le mariage Mot'a, pour une période déterminée, susceptible d'être prolongée. Les enfants appartiennent au clan de la mère.
3) Le mariage par échange, Badal. Deux hommes mariés échangent leurs épouses respectives.
4) Le mariage Chigar. Deux hommes échangent leurs filles ou leurs nièces ou leurs sœurs.
5) Le mariage Ba'ûla. Le mariage polygame avec autorité du mari sur ses épouses. C'est le mariage repris par l'Islam, en limitant le nombre des épouses à quatre.
6) Le mariage Maqt. Il découle du précédent où la femme, étant considérée comme la propriété du mari, passe, à la mort de celui-ci, à son fils d'une autre femme ou, à défaut, à son frère ou au fils de ce dernier, ou au parent le plus proche.
7) Le mariage Istibdâ'. L'époux cesse d'approcher sa femme, et invite un autre homme à partager la couche de celle-ci, jusqu'à ce qu'elle devienne enceinte. Le mari reprend alors ses droits, et l'enfant mis au monde sera le sien. « Cette pratique est attribuée au désir du mari d'obtenir une descendance robuste, grâce à l'intervention d'une personne choisie » (9).

Un grand nombre de ces unions sont caractérisées par la liberté sexuelle de la femme et son pouvoir sur le foyer conjugal. Il est vrai que cela concerne souvent des femmes ayant un rang social élevé et vivant dans leur tribu d'origine. « A l'époque de la Djahilya, les femmes, ou tout du moins certaines d'entre elles, avaient le droit de renvoyer leur mari en procédant de la façon suivante : si elles habitaient dans une tente, elles la retournaient de sorte que si la porte faisait face à l'est, elle était tournée vers l'ouest. Et lorsque l'homme voyait cela, il savait qu'il était renvoyé et il n'entrait pas » (10).

---

(9) Makarius (R.), « Le mariage des cousins parallèles chez les Arabes », in *6ème Congrès international des sciences anthropologiques et ethnologiques*, t. II, Musée de l'Homme, 30 juillet-6 août 1960, Paris, 1963, p. 187.
(10) Mernissi (F.), *op. cit.*, p. 62.

On ne trouve pas de référence au mariage avec le cousin parallèle, qui est caractéristique du système de parenté patrilinéaire et endogame.

Selon J. Chelhod, les deux systèmes de parenté coexistent. Cependant, l'exogamie est favorisée par la fixation au sol et la sécurtié, alors que l'endogamie est en liaison avec le nomadisme guerrier et ses lois d'airain.

Ainsi, à la Mecque, qui était une ville beaucoup plus policée, les mariages en dehors de la tribu s'élevaient à 36%, alors qu'ils n'étaient que de l'ordre de 17% à Médine, qui avait une population sédentaire aux traditions nomades encore vivantes.

L'apport de l'Islam

Son génie consiste dans une utilisation des aspirations profondes qui se font de plus en plus jour dans la population, pour établir de façon définitive certaines institutions et en abolir d'autres. La tendance dualiste qui existe chez le bédouin est intégrée dans le nouveau système de la façon suivante :

- Son élan communautaire est orienté vers la Umma, communauté beaucoup plus vaste que la tribu, qui peut englober toute l'humanité ; libre à lui de la constituer par la parole et par l'épée.
- Sa tendance individualiste, qui s'est vue renforcée par l'essor économique que connaissait à l'époque le Hedjaz, a été poussée suffisamment pour entraîner la dislocation du clan trop vaste.

Ce fut donc, de nouveau, l'occasion d'une réglementation très minutieuse des liens de parenté qui unissent chaque individu à l'autre ; mais surtout l'instauration d'un mariage plus en rapport avec la tendance individualiste et l'instinct de propriété du nouvel homme prôné par l'Islam. Ce genre de mariage lui permet, moyennant une somme d'argent (la dot), d'acquérir une femme qui doit le suivre, dont il assurera l'entretien. Ce qui lui permettra d'asseoir sa supériorité et son autorité sur elle. Il sera son seul maître après Dieu et son seul partenaire sexuel : « L'homme est le gardien de sa famille et il en est responsable » (11). Son attente, la concernant, sera une des-

(11) El-Boukhari, *Les traditions Islamiques*, t. III, éd. Maisonneuve, Paris, 1977, pp. 544-606.

cendance mâle et nombreuse qui sera son prestige face aux autres, et à qui il transmettra ses biens.

La procédure qui réglemente l'héritage a été, elle aussi, étudiée de très près. Ce qui mérite d'être signalé, c'est que la femme, malgré tout, hérite et qu'on n'en hérite plus ; car avant l'Islam, elle faisait partie du patrimoine. Et un fils, à la mort de son père, était autorisé à épouser les femmes se trouvant sous la tutelle du mort, y compris son épouse et ses filles.

Depuis toujours, l'Arabe a élevé la pureté de son sang au rang de la noblesse. Il est maintenant particulièrement soucieux de la pureté de sa descendance, puisque cela devient un de ses devoirs sacrés et qu'il a désormais les moyens de le contrôler. Une de ses exigences va donc être la pureté de celle qui lui donnera ses enfants. Elle n'aura contracté aucune relation sexuelle avant lui et n'en contractera aucune autre, en dehors de celles qui existeront entre eux.

Un point final est donc mis à la liberté sexuelle qui caractérise les femmes de la Djahilya. Par contre la liberté sexuelle de l'homme est non seulement admise, mais réglementée. Ainsi, il peut avoir quatre femmes, moyennant justice à l'égard de chacune d'elles. Il peut les répudier et épouser autant qu'il veut, sans compter les concubines qu'il peut avoir. La pratique de la répudiation était aussi utilisée par les femmes, mais elle leur fut interdite par l'Islam, et ne subsiste que sous une forme beaucoup moins libérale que celle que connaît l'homme. En outre, toutes les autres formes de mariage qui rappellent les pratiques matriarcales et la liberté sexuelle de la femme vont être irrémédiablement condamnées.

Ainsi, l'Islam va élever au rang du sacré la cellule familiale nouvellement constituée. Le noyau en sera la femme, ou plutôt son intégrité physique. Y toucher, c'est le profaner et détruire tout un équilibre social qui va s'organiser autour de lui.

Les aspects extérieurs du mode de vie des femmes, liés à la nouvelle institution

En fait, les restrictions qui frappent le monde des femmes ne sont pas instituées d'emblée, mais découlent du mode de vie auquel sont astreintes, presque malgré elles, les femmes du prophète. Par leur rang d'épouses du prophète, elles sont considérées, non seulement comme les premières musulmanes, mais comme les « mères des musulmans ».

Les mesures sociales qui les touchent vont dans le sens de leur distinction. Cependant, la conduite du prophète durant sa vie fut érigée en modèle de conduite, une Sunnah ; et par conséquent, tout musulman se fait un devoir d'appliquer à sa vie privée les préceptes utilisés par le prophète dans la sienne. Ainsi l'institution du voile est, en premier lieu, une limite imposée entre la vie privée du prophète et sa vie sociale. Ce fut d'abord un rideau (Hidjab), ou voile qui interdit l'accès de sa demeure aux multiples requêtes qui lui sont adressées par l'intermédiaire de ses femmes.

Ce procédé présente des risques, lorsque le requérant est un homme. D'où le verset concernant l'institution de la vie privée :

« O vous qui croyez, n'entrez pas dans les maisons du Prophète, sans que vous en ayez reçu l'autorisation... mais lorsque vous êtes invités, entrez ; et lorsque vous avez mangé, retirez-vous sans vous engager familièrement dans une conversation ; en vérité, cela ferait de la peine au Prophète... Et si vous avez à demander quelque chose (aux femmes du Prophète), demandez-leur derrière un voile ; c'est ainsi que vos cœurs et leurs cœurs demeureront purs » (12).

D'autre part, nous avons vu que le Hedjaz est devenu le lieu de désordres et de troubles, liés à la sédentarisation récente des tribus nomades. Leur code d'honneur du désert, qui consistait, entre autres, à respecter et à défendre la femme, n'est plus à l'honneur. Il a donc fallu, très vite, instituer d'autres normes qui vont toucher cette fois la personne physique de la femme. Un rideau est tiré sur son corps, et cette nouvelle institution se présente dans le verset suivant : « O toi, Prophète, dis à tes épouses et à tes filles et aux femmes des croyants, de laisser tomber jusqu'en bas leur robe de dessus. Il sera plus facile ainsi qu'elles ne soient pas reconnues et qu'elles ne soient pas offensées » (13).

---

(12) Quoran. 33, 53.
(13) Quoran. 33, 59.

Progressivement, le voile s'étend à tous les atouts féminins. Ainsi, il lui a fallu voiler son regard en baissant les yeux, voiler sa voix en ne se faisant pas entendre : « Dis aux croyantes qu'elles baissent leurs regards, qu'elles observent la continence et qu'elles ne fassent voir de leurs ornements que ceux qui sont extérieurs ; qu'elles couvrent de leurs voiles leur sein et qu'elles ne laissent voir leurs ornements qu'à leurs maris ou leur père... » (14). « N'entrez pas dans des maisons qui ne sont pas vos maisons, sans en demander la permission et sans saluer ceux qui y habitent » (15).

Bientôt, l'évolution de la technique va venir à la rescousse de l'homme et lui permettre d'élever des murs et de cadenasser les portes pour mieux appliquer les préceptes de l'Islam, qu'il va outrepasser « quelque peu » dans le zèle qu'il mettra à les traduire, sous cette forme beaucoup plus révélatrice de mécanismes humains que d'une volonté divine.

---

(14) Quoran. 24, 31.
(15) Quoran. 24, 27.

VII

LA SÉDENTARISATION DE LA TRIBU OU LE VOILEMENT PAR LA PIERRE

Il est difficile d'établir de façon précise l'apparition du processus de sédentarisation. Nous avons vu dans le chapitre précédent qu'il a été à l'origine des réformes sociales apportées par l'Islam, à cause des troubles qu'il engendra. Est-ce que ce fut la période où le processus s'accéléra, nous ne pouvons l'affirmer. Toujours est-il qu'il existait déjà bien avant l'avènement de l'Islam.

Dans son introduction à la sociologie de l'Islam, Chelhod nous décrit ces villages primitifs comme une projection sur le sol des anciennes confédérations tribales. « La distribution territoriale de la cité donnait l'impression d'un vaste campement de tribus. La division à base de clan, caractéristique du nomadisme, était encore nettement observée. Le cœur de la cité constituait la résidence des plus puissantes familles dont les chefs avaient pour mission de veiller aux intérêts collectifs de la communauté... Autour de ce noyau central de chaque cité, vivaient les clans les moins représentatifs » (1).

La fixation au sol va donner un contour plus net à la structure interne de la tribu, et lui enlever sans doute une bonne partie de sa souplesse. La fixation du passé par la mémoire va donner une autre dimension à la réalité sociale des sédentaires. Ils vont l'embellir par une affiliation réelle ou mythique à « une grande maison », et à un passé prestigieux. Ibn Khaldoun dénonce le bien-fondé de cette nostalgie, et leur dénie toute appartenance noble, dans la mesure où ils n'ont pas contribué à sa perpétuation, en se mélangeant avec « le vulgaire », donc en ne pratiquant pas le mariage endogamique.

---

(1) Chelhod (J.), *op. cit.*, p. 73.

En s'ouvrant aux autres, ils ont perdu l'esprit de clan, cette cohésion qui fait la force de la tribu nomade. D'autre part, ils n'ont pas su créer une autre force, évoluer en constituant une classe suffisamment forte et structurée, pour contrebalancer la puissance des tribus périphériques qui menaçaient sans cesse le pouvoir central. Yves Lacoste nous dira qu'Ibn Khaldoun n'avait pas à sa disposition des concepts qui lui auraient permis d'illustrer sa pensée très en avance sur son époque. Car en fait le reproche qu'il fait aux citadins, c'est de ne pas avoir su se constituer en une classe bourgeoise bien structurée, avec des moyens de production appropriés au développement social. Au lieu de cela, ils ont développé un goût immodéré du luxe et se sont laissé vivre mollement dans des châteaux et des grandes demeures : « Ils construisent des châteaux et des demeures à l'eau courante, ils élèvent leurs tours de plus en plus haut et rivalisent d'élégance dans l'ameublement. Ils se distinguent par la qualité de leurs habits, de leurs lits, de leur vaisselle et leurs ustensiles, tels sont les sédentaires (al hadar) » (2).

« Quant à leur propre défense, ils ne sont plus capable de l'assurer, ils la confient au gouverneur et à la garde. Ils se sentent en confiance derrière leurs remparts et leurs fortifications » (3). Il est à noter que cette analyse concerne davantage la société maghrébine. Il ne nous parlera pas particulièrement de l'organisation domestique de la nouvelle société, mais on notera, comme significatifs, les murs de plus en plus hauts qu'ils dressent pour défendre leur intimité.

Beaucoup plus proche de nous, Germaine Tillion retrouvera traduite, au niveau de l'architecture, cette volonté acharnée à défendre son intimité. Elle est la même en Orient comme au Maghreb. « Rien de plus révélateur, à cet égard, que l'aspect physique du village, du douar, de la maison arabe citadine : celle du Maghreb, comme celle du Levant. Autour de la maison, des murs hauts, sans fenêtres, hérissés de tessons de bouteilles ; autour du village, toutes les défenses naturelles, les fossés, les figuiers

---

(2) Ibn Khaldoun (A.), *Discours sur l'histoire universelle, (Al Muqaddima)*, traduction nouvelle, préface et notes par Monteil (V.), t.I, Beyrouth, 1967, p. 242.
(3) Ibid., p. 249.

de barbarie ; autour de la tente, une horde de chiens à demi sauvages, mais plus sauvages encore que les chiens, une "sacralisation" de l'espace qui la protège et dont l'inviolabilité se confond avec l'honneur, la horma » (4).

Deux principes fondamentaux président à l'organisation interne de chaque communauté, selon un schéma invariable que l'on retrouve au Maghreb comme en Orient, chez les Arabes comme chez les Berbères. Il s'agit du sacré (horma), dont l'origine étymologique est haram (tabou, inviolable). Son représentant principal est la femme, sa résidence est la maison ; sa caractéristique, la passivité (réelle ou supposée) qui requiert un principe actif pour la protéger et la défendre, par conséquent l'honneur qui s'incarne chez l'homme dans le « nif », le nez : lieu de la virilité et de la puissance. Les anciens Arabes pensaient retirer ce principe à un homme en lui mutilant le nez. Un troisième principe, Es-ssar, découle du bon fonctionnement des deux précédents et se dégage des personnes qui savent en faire un bon usage. C'est ce qu'on pourrait appeler « respectabilité », qui provient du sentiment personnel, et de la reconnaissance par tous, de son intégrité sociale.

P. Bourdieu va nous montrer ces deux principes à l'œuvre dans la société kabyle. L'intérêt de son étude très fouillée, c'est de les avoir trouvés partout présents. Ils ordonnent le monde selon un couple d'opposition, mais dont la finalité, à l'image du couple humain, est l'union. C'est ainsi qu'on le verra dans la bipartition du monde, le monde du dedans et le monde du dehors. L'univers féminin, le monde du secret, l'espace clos de la maison par opposition au dehors, au monde ouvert de la place publique (thajma'âth), réservé aux hommes.

Ils déterminent la place et le rôle de chacun à l'intérieur de son monde. Ainsi l'homme doit se donner à voir (quabel) dans la place publique, au soleil. Il doit faire face, affronter les autres. Par contre, la femme doit se tenir à l'ombre de son groupe parental tant qu'elle est jeune fille, puis à l'ombre de son mari et de ses beaux-parents lorsqu'elle se marie, à l'ombre des murs de sa maison, et la plus vertueuse est celle dont on ne voit même pas l'ombre.

(4) Tillion (G.), *op. cit.*, pp. 139-140.

Même à l'intérieur de la maison, il y a place pour cette bipolarité. Les lieux humides, sombres, bas sont les lieux féminins et s'opposent aux lieux secs, hauts, face à la lumière, qui sont réservés aux hommes.

Malgré sa bipolarité, la maison reste un lieu typiquement féminin dans lequel l'homme séjourne très peu et « n'y entre que pour en sortir », après avoir accompli ses fonctions biologiques, telles que se restaurer, dormir, procréer ; fonctions qu'il entoure du voile du secret. La maison est en fait le voile de son intimité et de celle qui préside à la gestion interne, c'est-à-dire la femme qui, contrairement à l'homme, fait le vœu de ne jamais en sortir, qu'elle soit son tombeau, en attendant d'être définitivement enterrée dans l'autre. Car « la femme n'a que deux demeures, la maison et le tombeau » (5).

(5) Bourdieu (P.), *Esquisse d'une théorie de la pratique*, Librairie Droz, Genève-Paris 1972, pp. 45-59.

VIII

L'APPARITION DU VOILE

Comme pour le processus de sédentarisation, il serait assez difficile de déterminer le moment de l'apparition du voile. Cependant, si nous avons opéré ce type de découpage, c'est pour les besoins d'une clarté dans la présentation des différentes séquences de l'évolution sociale ; car le voilement de la femme, comme tout phénomène social, ne touchera pas de la même façon, ni au même moment, les différentes couches de la population dans laquelle il se manifeste.

Il serait tout aussi utopique de lui trouver une origine, bien que nous le voyions souvent relié au monde musulman et sa paternité attribuée au Calife Omar Ibn el-Khattab.

Cependant, les témoignages ethnographiques et historiques sont là pour nous informer sur l'étendue du phénomène ainsi que son caractère antique. Il semble qu'il dépasse largement l'aire géographique qui contient la communauté musulmane et englobe « encore aujourd'hui, tout le littoral chrétien de la Méditerranée, et qu'il faut au contraire en exclure de vaste régions très anciennement converties à l'Islam. Historiquement, n'importe quelle incursion dans le passé nous démontre également que le harem et le voile sont infiniment plus anciens que la révélation du Coran » (1).

Selon S.-W.Blackman « il est possible que l'inscription de Ramsès III à Médinet Habu contienne une allusion au voile »... La décoration du tombeau de Pétosiris, exécutée en style grec, « représente à plusieurs reprises des femmes dont la tête est recouverte de voiles semblables à ceux

(1) Tillion (G.), *op. cit.*, p. 22.

des paysannes modernes dans beaucoup de régions de l'Egypte » (2).

D'autre part, on retrouve le voile dans les deux religions monothéistes qui ont précédé l'Islam.

Dans la religion hébraïque, se voiler consistait surtout à avoir la tête recouverte, ainsi que le front : « Etaler ses cheveux, les faire flotter sur ses épaules, c'était avoir "la tête découverte", attitude si inconvenante qu'une femme mariée sortant ainsi dans la rue pouvait être immédiatement répudiée.

Dans la religion chrétienne, nous voyons apparaître cette exigence du voilement de la femme au IVe siècle avec saint Paul. Selon lui, « la femme doit avoir sur la tête une exaucia à cause des anges » (3). Il y eut différentes interprétations concernant cette « exaucia ». Certaines en rapport avec l'ancien mythe juif de la chute des anges, attirés par les femmes avant le déluge. La femme devait se couvrir la tête pour ne pas attirer les anges, qui étaient de sexe masculin.

Il y avait aussi la croyance juive que le culte terrestre s'accordait au culte céleste, et qu'il était très inconvenant pour une femme d'y assister la tête non recouverte.

En fait, cela concernait davantage l'assemblée masculine qui était présente, et qui risquait d'être perturbée par la vue de la chevelure féminine, attribut qui était hautement valorisé sur le plan érotique. De ce fait, le voile était une sorte de protection de la dignité féminine par rapport aux pressions qui pouvaient venir de la gent masculine. Cependant, la seule interprétation qui prévalut jusqu'alors, c'est qu'elle est « un signe de sujétion » de la femme par rapport à son mari. Ce qui semble, d'après Annie Jaubert, contraire aux visées émancipatrices de saint Paul, qui voyait cette « exaucia » comme un signe de puissance et de liberté de la femme qui pouvait, de ce fait, assister librement au culte. Toujours selon elle, l'interprétation traditionnelle semble un contresens sur le plan philologique, puisque avoir « exaucia », en grec, signifie avoir la puissance, la capacité, le droit, la liberté... et non la subir.

---

(2) Blackman (W.-S.), *Les Fellahs de la haute Egypte*, Payot, p. 251, cité par Tillion (G.), *op. cit.*, p. 22.
(3) Jaubert (A.), « Les femmes dans l'écriture », in *Revue Chrétienne*, n° 219 (1-Co-11, 2-16).

Que dire alors de ce complément du voile qu'est la règle du silence que doit observer la femme durant la célébration du culte : « Comme cela se fait dans toutes les églises des Saints, que les femmes se taisent dans les assemblées. Elles n'ont pas la permission de parler, mais qu'elles restent soumises comme le dit aussi la loi. Si elles veulent s'instruire sur quelques détails, qu'elles interrogent leur mari à la maison. Il est honteux qu'une femme parle dans l'assemblée » (4). Cet énoncé traduit on ne plus clairement l'opinion de l'église sur la femme. C'est un être second dans la catégorie humaine.

Toujours selon saint Paul : « L'homme, lui, ne doit pas se couvrir la tête, parce qu'il est l'image et le reflet de Dieu. Quant à la femme, elle est le reflet de l'homme » (5). Il faut croire que ce qu'elle reflète de lui est de l'ordre de l'impossible, voire de l'indicible, puisqu'il lui impose l'effacement, le voile et le silence. Il ne voyait donc en elle qu'une butée à son désir et jamais d'abord un représentant d'elle-même ; d'où les précautions multiples prises à son égard, « elle est un être de Satan », diabolique, qu'il faut maîtriser, museler, le voile comme camisole, le silence comme muselière, et j'en passe. Que ne faut-il pas inventer pour brider l'autorité du désir !

Nous retrouvons la même vision de la femme dans le monde arabo-berbère : « ... l'homme espère en Dieu, la femme attend tout de l'homme... la femme, dit-on encore, est tordue comme une faucille ; aussi la plus droite de ces natures gauches n'est-elle jamais que redressée » (6).

Dans l'ancien monde arabe et bédouin, nous retrouvons ce même type de voilement qui couvre donc essentiellement la tête et le front. Nous verrons dans les chapitres suivants que le dévoilement qui avait lieu à certains moments cruciaux de la vie de la tribu et fonctionnait comme un rituel sacré, consistait à retirer la coiffe qui cachait le front et les cheveux.

Cet ancien mode de voilement, qui est donc antérieur à l'Islam, persiste encore de nos jours dans certains milieux traditionnels maghrébins. C'est un voile dont la femme ne

---

(4) Ibid.
(5) Saint Paul, épître X aux Corinthiens, cité par Tillion (G.), op. cit., p. 163.
(6) Bourdieu (P.), *op. cit.*, p. 59.

se départit jamais, même à l'intérieur de sa maison. Il consiste à se couvrir les cheveux et le front d'un certain nombre de foulards, disposés de façon assez typique, et que l'on peut observer surtout dans les régions de l'intérieur. Dans les villes, il apparaît de façon symbolique, sous la forme d'un foulard plié très finement et placé comme un bandeau sur le front.

Ce voile apparaît dans toute sa splendeur et son agencement compliqué, en complément de l'habit traditionnel que porte en premier lieu toute mariée, quel que soit son degré d'émancipation.

Il réapparaît à un autre moment crucial, en signe de deuil, à la mort d'un proche. A la lumière de ce qui précède, on comprend mieux l'injonction, faite à toute jeune fille par sa mère ou sa tante, de ne pas défaire ses cheveux ou les coiffer devant le père ou les autres hommes de la maison.

On peut donc énoncer le fait que l'Islam inaugura effectivement une autre sorte de voile. Nous avons vu dans le chapitre précédent que les réformes sociales introduites par l'Islam le furent pour remédier aux troubles sociaux qui ont pris naissance à la suite de la sédentarisation de plusieurs tribus, et de la promiscuité qui en résulta. Promiscuité insupportable pour leur honneur pointilleux, leur caractère belliqueux, leur sens poussé de la noblesse liée à la pureté du sang, donc à une pratique de l'endogamie poussée à outrance. « Habiter à proximité des gens auxquels on n'est pas uni par des liens de consanguinité, et même de parenté légale (car les parents utérins sont, dans bien des endroits, tout juste tolérés), est une cause d'humiliation ; et pour cette raison, on y combine à peu près partout toutes les ressources de la ruse et de la violence pour interdire aux étrangers de s'installer de façon durable dans le voisinage. Le corollaire logique d'un tel état d'esprit est l'adoption ''comme parent'' du voisin, dont on n'a pas pu se débarrasser » (7), mais, entre-temps, le moyen trouvé pour mettre fin à ces tiraillements fut dans un premier temps ce fameux rideau (hidjab), qui instaura une distinction entre deux mondes : celui de la vie privée et celui de la vie publique. Progressivement ou rapidement, on en vint

(7) Tillion (G.), *op. cit.*, p. 82.

à la distinction entre le monde des femmes et celui des hommes, et un rideau fut donc tiré sur le corps de la femme et c'est donc bien Omar qui en était le fier auteur, puisqu'il reçut, semble-t-il, la bénédiction divine et la confirmation dans le verset suivant :

« Dis aux croyants qu'ils baissent leurs regards et soient chastes. Ce sera plus décent pour eux. Allah est bien informé de ce qu'ils font. Dis aux croyantes de baisser leurs regards, d'être chastes, de ne montrer de leurs atours que ce qui en paraît. Qu'elles rabattent leurs voiles sur leurs gorges ! Qu'elles montrent seulement leurs atours à leurs époux, ou aux fils de leurs époux, ou à leurs esclaves, ou à leurs serviteurs mâles, que n'habite pas le désir (charnel), ou aux garçons qui ne sont pas (encore) au fait de la conformation des femmes. Que (les croyants) ne frappent point (le sol) de leurs pieds pour montrer les atours qu'elles cachent ! Revenez tous à Allah, ô croyants ! Peut-être serez-vous bienheureux » (8).

Le corps de la femme devient lui aussi une horma sacré, le noyau, le centre de ce sacré qu'est l'espace de la maison. On ne le voit plus ; on ne l'entend plus, n'y accèdent qu'un certain nombre de personnes mâles dont la parenté et l'âge ont été strictement fixés.

La femme finit donc par passer totalement dans l'anonymat, et son occultation va lui donner une dimension sacrée : « La mère, l'épouse (horma), les sœurs sont sacrées ; elles font partie du sanctuaire familial que l'on ne montre pas aux étrangers et qui leur est interdit (haram). Tout homme digne de ce nom doit veiller sur ce point à défendre son honneur (horma). Car toute femme (y compris la mère, qui peut être l'objet d'insultes insupportables) renferme la menace d'une honte » (9).

Cependant, c'est la jeune fille qui va voir se concentrer en elle tout ce sacré. Très tôt, elle verra s'exacerber la vigilance du clan autour d'elle ; c'est qu'elle recèle en elle menace et danger pour son groupe familial. Sa virginité intacte, sa pureté, son intégrité physique n'est rien

(8) Qoran, La lumière, XXIV, 27 à 31, traduction Blachère (R.), pp. 378-379.
(9) De Prémare (A.), « La Mère et la Femme dans la société familiale traditionnelle au Maghreb », in *Bulletin de Psychologie* XXVIII, 314, 1974-1975, p. 296.

d'autre qu'une métaphore : le symbole de la fermeture du clan, de leur noblesse. La rupture de son hymen signifierait la rupture du groupe, son viol, son ouverture à toutes les agressions et les offenses. C'est pour cela que la jeune fille est maintenue cachée, à l'ombre de sa mère, de sa famille, à l'ombre des murs de la maison. Plus elle aura su se tenir à l'ombre, plus elle accumulera ce principe dont parle Bourdieu et qui est « Es-Sar », cette « aura », cette lumière, cette grâce, qui rayonnera le jour de son mariage, où elle sera exposée, donnée à voir après avoir donné satisfaction à l'exigence du groupe, et donc en leur sauvant la face et l'honneur.

Contrairement au « Es-Sar » de l'homme, qui est conscience de son intégrité sociale et donc prestige, qui doit se donner à voir, faire face à toutes les situations, être présent, le Es-Sar de la jeune fille ou de la femme souffrirait de la lumière du jour. Pour elles, l'ombre est productrice de lumière. Se donner à voir, faire face, c'est l'amoindrir et risquer de le perdre, d'où le voilement de la face en plus du voilement du corps. Ce serait donc une troisième sorte de voile, à coup sûr post-islamique, car l'Islam permet à la femme de laisser son visage et ses mains découverts.

Ce voile qui persiste jusqu'à nos jours allierait donc l'exigence islamique et l'exigence tribale.

On serait tenté de se demander ce qu'il en est du voile actuellement. Il progresse dans les campagnes, alors qu'il y a seulement quelques années, il n'existait pas, et régresse dans les villes, lieu de son émergence. En fait, ces campagnes ne sont rien d'autre que les anciens villages, où cohabitaient deux ou plusieurs clans aux frontières bien délimitées et qui, pour certains, à force de promiscuité, ont fini par s'adopter. A l'intérieur de ces villages, il y avait une organisation spatio-temporelle, qui permettait aux femmes de circuler librement et sans voile dans certains lieux et à certaines heures de la journée, et ceci en vertu de principes fondamentaux, tels que la horma (sacré) et l'honneur (nif), autour desquels existait un consensus social. Ces principes furent bousculés par l'arrivée de nouveaux venus peu respectueux, ou peu au courant des structures existantes. Ce fut le cas en Algérie, après l'indépendance, pour des raisons d'ordre économique, avec le brassage de population, ou tout simplement parce que l'autochtone, se retrouvant dans un pays libre et n'ayant plus besoin d'un laisser-passer pour aller d'une zone à une autre, fut amené à côtoyer d'autres communautés, à bousculer consciemment ou inconsciemment un certain ordre social. Ce comportement déclencha immanquablement ce vieux réflexe bédouin, qui remonte à la préhistoire mais qui est toujours vivant, toujours opérant. Ne pouvant lutter efficacement contre les impératifs économiques et sociaux, le vieux bédouin en chaque être va ruser et « se rabat dès lors sur tous les ersatzs de protection que ses moyens et son imagination lui offrent : barreaux de fenêtres, serrures compliquées, chiens méchants, eunuques... et le voile » (10).

Il semble que, dans les grandes villes, ce vieux réflexe s'émousse. Il est vrai que pour une minorité intellectuelle, consciente, lucide, mais qui reste malheureusement trop minoritaire, le voile est une réalité qui appartient bel et bien au passé. Pour la grosse majorité, récemment installée dans les villes, la foule dans les grandes villes permet l'anonymat, le même que celui procuré par le voile. Se fondre dans le groupe d'inconnus, c'est comme si on était voilées, disaient certaines de mes interviewées, puisque personne ne nous reconnaît. On se voile pour la famille, dans les lieux où l'on risque d'être reconnu, ou interpellée devant un proche parent.

L'étranger serait assez surpris de voir de plus en plus de femmes conduire des voitures ; modernisme, évolution, pensera-t-il, mais qu'il se détrompe, c'est toujours cette vieille exigence bédouine qui sait faire feu de tout bois, et qui a trouvé en la tôle de la voiture un moyen d'éviter encore et toujours... la promiscuité.

(10) Tillion (G.), *op. cit.*, p. 190.

IX

LE VOILEMENT DE LA KA'BA

Notre étude a porté jusqu'alors sur le voile dans le monde arabo-berbère, dans ses manifestations aussi bien symboliques que réelles. L'extension de cette étude au voilement de la Ka'ba est beaucoup plus l'effet du hasard - mais existe-t-il ? - que celui d'une volonté délibérée ; disons plutôt une rencontre de lecture au cours de ma recherche, qui m'a fait dresser l'oreille. En effet j'ai lu « La vie quotidienne des musulmans au Moyen Age » de Ali Mazahery (1), avec l'espoir de trouver quelques informations sur le voile à l'époque. Le chapitre existe, mais il est traité avec une telle volonté de banalisation, que c'était décevant et d'aucune utilité pour mon travail. Par contre, j'ai été payé de mes efforts en lisant celui traitant de la vie religieuse, du pèlerinage et par conséquent de la fameuse ka'ba. Mais écoutons : « Au centre de la cour de la mosquée s'élevait la ka'bah, chambre d'Allah. De forme rectangulaire, entièrement construite en marbre, elle mesurait 15 mètres de long et 8 de large... Dans un des murs de la ka'bah était enchâssée la célèbre pierre noire, l'aérolithe tant vénérée des musulmans, qui le considéraient comme la main droite d'Allah sur terre. Cette pierre, qui mesure 25 cm de long sur 10 de large, est de forme ovale, d'un beau noir très foncé, brillant comme du velours, et parsemée de minuscules paillettes rouge brique ; mais les pèlerins la baisent tant et tant qu'elle est recouverte d'une épaisse couche de salive...

En tant qu'*objet sacré, haram, au même titre que les femmes* (sic !) et les princes de droit divin, la ka'bah était

(1) Mazahery (A.), *La vie quotidienne des musulmans au Moyen Age*, éd. Hachette, Paris, 1947.

entièrement voilée d'un kiswah, housse composée de plusieurs pièces de satin de couleurs variées, changées à des moments déterminés par le rite...

Le treizième jour de la douzième lune, on faisait la toilette de la ka'bah. On lui retirait sa robe de sacrifice et on la revêtait d'une parure nouvelle confectionnée en Perse ; toute fraîche et pimpante, elle ressemblait alors "à une jeune mariée" (2). »

Au cours de ce chapitre, l'auteur fait de nombreux renvois à un certain Ibn Gubayr, voyageur espagnol, qui relate donc ce qu'il a vu en l'an 1183. Néanmoins, ce texte reste à bien des égards très intéressant par son côté révélateur, et va donc infléchir notre méthode de travail. En effet, bien que nous essayions de suivre, autant que faire se peut, l'histoire de cet édifice et de son voilement, étant donné tout le côté légendaire dans lequel il baigne, nous resterons plus sensible à l'informateur qu'à l'information, au retentissement qu'a eu sur lui la vision de cet édifice. Nous nous intéresserons donc surtout au côté anecdotique, aux croyances populaires, qui sont souvent consignées en bas de page, en petit caractère ; ou bien à ces moments où l'historien se détache du fait concret, pour laisser libre cours à sa sensibilité, comme ce moment que nous avons rencontré avec A. Mazahery qui voyait en la ka'bah, après la toilette, « l'image d'une jeune mariée, toute fraîche et pimpante ».

L'Islam rattache cet édifice à Abraham, qui l'aurait bâti avec son fils Ismaël à la gloire de Dieu et de son unicité. Dieu dit à Abraham : « Ne m'associe rien, mais garde pure ma maison pour ceux qui accomplissent les circuits, pour ceux qui se lèvent pour prier, pour ceux qui s'inclinent et pour ceux qui adorent.

Et proclame parmi les hommes le pèlerinage. Qu'ils viennent vers toi, à pied ou sur un chameau élancé, par les défilés profonds.

Pour qu'ils (puissent) témoigner des avantages qu'ils ont et qu'ils répètent le nom d'Allah... et qu'ils fassent le circuit autour de l'Antique Maison » (Coran : XXII, 26-8).

« Dieu a fait la Kaba, la maison sacrée (pour être) une

(2) Ibid.

station pour les hommes » (Coran : V, 97) (3). Elle fut donc édifiée pour un culte monothéiste et confiée à la garde des descendants d'Ismaël. Mais à la suite d'affrontements avec d'autres tribus, elle tomba sous la garde des vainqueurs qui méconnurent le culte monothéiste pour lequel elle a été créée. Ils installèrent dans la cour de la ka'ba « toutes les divinités connues en Arabie : Manaf, le dieu solaire, Qozah, qui tenait l'arc-en-ciel, Nasr, le dieu-aigle, Wadd, et particulièrement Al-Lat, Manat et Uzza prirent place dans le temple monothéiste d'Abraham, en même temps que leur hiérophantes » (4). Mais dans ce travers, même les Ismaélites tombèrent, puisque interdits de séjourner dans les alentours de la Mecque, ils prirent des pierres de la cité sainte, qu'ils taillèrent sous forme de statues autour desquelles ils accomplissaient le rituel sacré.

Toute personne qui accomplissait le culte autour de la ka'ba devait le faire dans une totale nudité, la tête rasée. Les femmes en étaient dispensées. « Battant des mains et sifflant, ils entraient dans le temple qui avait été jadis dédié au seul Dieu et qui contenait à présent trois cent soixante idoles, parmi lesquelles les effigies des patriarches Abraham et Ismaël » (5).

A l'origine du voilement de la ka'ba, qui eut lieu à la période pré-islamique, fut un roi d'Arabie méridionale, Asab Abou Karib, membre de la branche Himyar des anciens monarques de Saba. A la suite de son pèlerinage à la Mecque, et après avoir accompli le rituel qui consistait donc à faire pieds nus et tête rasée le tour du temple, il ordonna de construire pour le monument une porte pouvant fermer à clef. Toujours à la même période, il fit une série de rêves dont nous ne connaissons pas la teneur, mais qui lui donnèrent l'idée de couvrir la ka'ba de feuilles de palmiers (*sic !*), qu'il remplaça par un tissu rayé de fabrication yéménite. Il semble que, depuis ce temps-là, le Yemen assura le voilement de ce lieu saint, en lui fournissant une couverture pour l'été et une autre pour l'hiver.

Avec l'avènement de l'Islam, il y a d'abord un fait à signaler : pour que le prophète puisse entrer au Beït el-

(3) Esin-Emel, *La Mecque ville bénie, Médine ville radieuse*, Albin Michel, Paris, 1963, p. 21.
(4) Ibid., p. 38.
(5) Ibid., p. 42.

Haram, à la ka'ba, il a fallu retirer la clef à une femme qui en était la détentrice, donc la gardienne du lieu saint. Cela ne s'est pas fait sans résistance. Son fils, qui était acquis à l'Islam et au prophète, dut la menacer dans ces termes pour qu'elle lui remette la clef : « Par Allah, lui dit-il, tu me la donneras, ou je ferai ressortir par mes reins l'épée que voici ! » (6)

Nous assistons donc à une passation des pouvoirs et pas de n'importe quel ordre ! Car, si nous avons bien compris, nous assistons à l'instauration du pouvoir patriarcal, au détriment du matriarcat. Désormais, la clef de la maison (petit m), c'est l'homme qui la détiendra. C'est un instant décisif, le monde va réellement basculer pour la femme, et tout ce qui suivra va s'imprimer dans les esprits d'autant plus fort qu'il aura ce cachet du sacré. Mais observons la démarche du prophète par rapport à la ka'ba, et n'oublions pas qu'elle était suivie tout autant par ses fidèles, puisque sa conduite durant sa vie sera un modèle auquel va tendre tout fidèle. Ne perdons pas de vue non plus que la ka'ba est dénommée Beït Allah : la Maison de Dieu. Mohammed lui-même n'y fera qu'un bref passage, et deux rakaat en signe du « salut à la mosquée ». « Il eût pu créer une sunna, dont il eût été facile de tirer l'obligation pour le fidèle d'accomplir, à une certaine époque, une prière dans la ka'ba. Mais cette sunna ne s'est point établi et, le geste de Mohammed a servi de principe au « salut de la mosquée », et « suivant une tradition de 'Aïcha, il aurait regretté d'être entré dans la ka'ba, craignant d'avoir donné à son peuple un exemple qu'il se croirait obligé de suivre » (7). En fait, nous assistons à l'institution d'un lieu privé, sacré, à l'intérieur duquel n'y entre pas qui veut. « En fait, beaucoup de pèlerins n'y pénètrent point, et les habitants de la Mekke s'abstiennent en général d'y entrer. Si c'est là pour la masse l'indice naturel de l'indifférence à l'égard d'un acte non rituel et non coutumier, la visite de l'intérieur de la ka'ba apparaît pour les gens très pieux, avec une teinte de mysticisme, comme une action audacieuse et redoutable ; comment oser tou-

(6) Demombynes (G.), *Le Pèlerinage à la Mekke*, Librairie Orientaliste, Paris, 1923, p. 65.
(7) OMDA. IV.612 ; ITHAF. IV.109, cité par Demombynes (G.), *op. cit.*, pp. 58-59.

cher de ses pieds le sol de la maison d'Allah, alors qu'on se sent à peine digne de fouler celui du matâf ? » (8)

Même le voilement de la ka'ba durant les premiers temps de l'Islam, va prendre un autre sens. En effet, les rois qui fournissaient le voile et assuraient l'entretien de la ka'ba, signifiaient par ce geste, assurément très symbolique, leur mainmise, leur tutelle, et partant leur souveraineté sur le Hedjaz. « Dans les premiers temps de l'islamisme, le Kesoua était quelquefois rouge et du plus riche brocard. Par la suite, les différents sultans de Baghdad, d'Egypte ou du Yemen le fournirent, suivant le degré de puissance qu'ils exerçaient à la Mecque ; car l'acte de donner la tenture de la ka'ba semble avoir toujours été considéré comme une marque de souveraineté sur le Hedjaz » (9). Il est dit, dans un passage du Coran, que l'homme est supérieur à la femme parce qu'il assure son entretien. La fourniture du voile est un de ses devoirs qu'il remplit, en général, très consciencieusement.

D'autre part, ce Beït el Haram recèle en son intérieur, bien enchâssée dans ses murs, « la pierre noire ». Elle a voisiné pendant longtemps avec des divinités en pierre. Celles-ci furent toutes démolies par le prophète et ses disciples, mais la pierre noire fut épargnée. Des disciples de Mohammed, il y en eut, parmi les plus durs et les plus purs, qui s'élevèrent contre cette croyance. Ce fut le cas de Omar-Ibn el-Khattab. Sa désapprobation a été consignée par les quatre grands recueils classiques dans les termes suivants : « Mohamed ben Kathaïr nous a rapporté : Sofian (eth thûri) nous a raconté, d'après El-A'mach, d'après Ibrahim, d'après Abir Ben Rabi, d'après Omar (qu'Allah soit satisfait de lui), que ce dernier vint à la pierre noire, la baisa et dit : je sais bien que tu es une pierre qui ne peut faire ni bien ni mal et si je n'avais point vu le prophète (sur lui la prière et la bénédiction d'Allah) te baiser, je ne te baiserais point » (10). Et ainsi, elle prit ou reprit sa place dans la tradition arabo-musulmane. Il faut croire qu'elle était profondément intégrée dans les croyances et dans le système socio-culturel arabe.

---

(8) Ibid., p. 64.

(9) Burkhard, *Voyages en Arabie*, t. I, éd. Arthus Bertrand, 1835, p. 185.

(10) Demombynes (G.), *op. cit.*, p. 43.

Dans les croyances populaires, elle est la main droite d'Allah. La toucher, c'est entrer directement en contact avec Dieu.

Elle est l'œil d'Allah, rien ne lui échappe. Sa pureté et sa blancheur ont été altérées par les péchés des humains.

Elle voit, elle entend, mais elle ne dit rien jusqu'au jour du jugement dernier, où elle viendra apporter son témoignage.

On trouve ce genre de croyances qui donnent lieu à des pratiques certainement préislamiques et qui perdurent au Maghreb. Elles ont été directement observées par E. Dermenghem lors d'un moussem, qui donne toujours lieu à un grand rassemblement de familles qui se disent issues d'un même ancêtre, et qui se retrouvent une fois l'an dans le lieu d'enracinement de son histoire. Il nous dit, à propos d'une femme : « J'en vois une qui touche un énorme rocher à la base teinte de chaux blanche et de henné, et auquel pend une ceinture de laine effilochée. C'est, me dit-elle, la hadjrat ed dounoûb, la pierre des péchés. On vient se décharger sur elle des fautes et des maux qu'elle est assez robuste pour supporter, bien qu'elle penche un peu menaçante. Son contact et les applications de henné éloignent aussi les jnoûn de la maladie » (11).

La symbolique de la pierre est parfaitement intégrée dans notre culture. Elle concerne surtout la femme. Nous avons vu dans le chapitre sur la sédentarisation que la femme vertueuse est celle qui se tient à l'ombre de son groupe parental, qui a peur de son ombre, donc de toute velléité d'indépendance qui pourrait se faire jour en elle. Elle a donc peur de la lumière du jour et, en langage clair, cela signifie qu'on ne la voit jamais dehors.

Il est une autre expression qui vient compléter le portrait de la femme parfaite : « Elle est sage comme une pierre », autrement dit, elle ne bouge pas de la maison. On ne l'entend pas, même si elle est soumise à un traitement vexatoire de la part de sa belle-mère, comme il est de coutume, ou de la part de son mari par malchance. Elle ne leur répondra donc jamais et saura endurer avec patience les mauvais moments. Elle verra tout, entendra tout, mais comme une pierre elle gardera secrète son his-

---

(11) Dermenghem (E.), *op. cit.*, p. 209.

toire et celle de la maison à laquelle elle appartient désormais.

Pour pallier les débordements que peut engendrer une situation extrême, il est une expression ou plutôt une conduite qu'offre la société à ses membres défaillants et qu'expriment les femmes dans les termes suivants : « J'irais vers une pierre et lui raconterais mon malheur, plutôt que de me confier à une personne » qui risque de colporter son histoire et lui porter préjudice auprès de sa belle famille.

La pierre joue ici le rôle d'une personne très sûre à qui l'on peut se confier sans être trahie ; mais, par ailleurs, d'où on tire par identification les qualités qui font défaut ou qui sont en faillite telles que la patience, l'endurance et la capacité de garder le secret.

Nous illustrerons ce qui précède par un conte qui a longtemps bercé notre enfance et celle de milliers de petites filles. Prises par la magie de l'histoire et l'art de la conteuse qui déroulait son conte comme un fil de soie (c'est une des phrases rituelles que dit la conteuse au tout début de l'histoire), on se laissait enrouler. L'histoire était belle mais ne nous concernait pas, on était enfant ; le fil était soyeux et nous étions sans méfiance, nous ne soupçonnions pas que le jour où nous tendrions nos forces pour essayer de nous en dégager, les fils de soie s'imprimeraient si cruellement dans nos chairs. Arriverons-nous à défaire un à un les nœuds ? La marque indélébile sera toujours là pour nous rappeler la magie du moment et sa traîtrise. L'intitulé du conte est justement :

La pierre de la patience,
le sabre de la traîtrise.

En l'absence de son père, le roi, parti en pèlerinage à La Mecque, sa fille, la princesse, entendit un marchand crier : « Qui veut acheter le malheur avec l'argent ? » La princesse qui vivait comblée dans son palais n'avait jamais vu, ni entendu cela ; aussi voulut-elle envoyer une de ses servantes lui acheter cette denrée inconnue d'elle, mais celle-ci refusa et tenta vainement de la dissuader. La princesse va profiter d'une de ses absences pour appeler elle-même le marchand qui lui dit que ce sont des graines qu'il faut mettre en pot et les laisser pousser. Elle lui offrit en échange un panier plein de louis d'or et fit ce qu'il lui indiqua. Le soir même les graines donnèrent naissance à un homme « El Ghoul » qui la battit violemment et recommença plusieurs soirs de suite.

Ne supportant plus d'être battue, elle s'enfuit et quitta son palais et sa ville. La nuit venue, elle demanda asile à un épicier qui accepta de la loger pour une nuit dans son épicerie, mais « El Ghoul » lui apparut à nouveau, lui fit subir le traitement habituel puis il s'en prit à l'épicerie et mit tout sens dessus-dessous, mélangea l'huile à la semoule, la farine, le sucre, etc., et s'en alla. Le lendemain, lorsque l'épicier vit cela, il s'en prit bien sûr à celle qu'il considérait comme la fautive, la battit et la jeta dehors. Elle continua sa fuite de ville en ville puis la nuit venue elle demanda asile à un tailleur qui préparait un costume de gala au roi. Il accepta de la loger pour une nuit dans sa boutique. Lorsque la nuit vint, « El Ghoul » réapparut et, après l'avoir battue, déchira en mille morceaux le costume du roi. Le lendemain, le tailleur effaré vit le résultat de son travail. Il allait s'abattre sur elle, lorsqu'elle le retint en lui promettant de réparer le costume du roi. Ce qu'elle fit. Le résultat fut si surprenant et si beau que le roi lui-même voulut voir la personne qui lui avait préparé un si bel habit. Lorsqu'il la vit, il fut tellement subjugué par sa beauté qu'il l'épousa.

« El Ghoul » la laissa tranquille jusqu'au jour où elle donna naissance à un beau garçon. Il y eut de grandes festivités en son honneur, mais lorsque la nuit vint, « EL Ghoul » lui apparut à nouveau, lui prit l'enfant, mordit un de ses doigts et lui badigeonna la bouche de son sang. Le lendemain, les servantes effrayées constatèrent la disparition de l'enfant et le sang sur les lèvres de la reine. Le roi, averti de l'événement, la jeta dans une de ses étables où elle vivra désormais pendant des années comme une bergère.

Le roi entre-temps épousa plusieurs femmes, puis vint pour lui le moment du pèlerinage. Il s'apprêtait à partir, mais auparavant il demanda à ses nombreuses épouses ce qu'elles voudraient recevoir comme cadeau de La Mecque. Il se rappela au dernier moment celle qui fut sa femme et alla lui faire la même proposition. Elle lui demanda alors de lui rapporter « la pierre de la patience » et « le sabre de la traîtrise ». Le roi fut surpris par la nature de cette demande et, après avoir accompli son pèlerinage, il se mit à la recherche de cet objet mystérieux. Il finit par le trouver chez un marchand qui par ailleurs était savant en la matière. Il lui conseilla de se cacher non loin de la personne qui allait l'utiliser pour empêcher le sabre d'accomplir son méfait.

Après avoir remis à chacune de ses épouses son cadeau, il descendit vers celle qui était devenue bergère, lui remit son paquet, puis, au lieu de partir, il se cacha et attendit. Il la vit déposer la pierre à terre et le sabre non loin, puis se pencher vers la pierre et pleurer tout en racontant son histoire : fille d'un roi, vivant heureuse et sans soucis dans son pays, dans son palais, elle acheta son malheur avec de l'argent en l'absence de son père, lorsqu'elle fit entrer le marchand à l'insu de tous. Elle s'arrêta pour pleurer et mit sa tête contre la pierre, le sabre se dressa et allait s'abattre sur elle, mais heureusement le roi vigilant le retira. La femme poursuivit son histoire et parla de sa fuite de ville en ville, mais en vain car régulièrement « El Ghoul » venait, le soir, la martyrisait et détruisait tout ce qui était à proximité d'elle, ce qui lui valait le lendemain d'être à nouveau battue par les personnes qui l'avaient hébergée. De nouveau elle s'abattit en pleurant sur la pierre, le sabre se dressa pour lui trancher la tête, le roi le retira, et cette fois elle parla de sa douleur de mère quand « El Ghoul » lui prit son fils et lui mit du sang sur la bouche pour faire croire aux autres qu'elle l'avait mangé ; elle tomba sur la pierre et se mit à pleurer longuement, le sabre allait à nouveau s'abattre, le roi le retira, il releva sa femme, lui demanda de lui pardonner ; à ce moment « El Ghoul » apparut, lui rendit son fils dont il avait pris soin et qui avait bien grandi. Il lui offrit, pour sa longue patience, son endurance et son silence, la bague de la puissance qui accomplira tous ses désirs et fera d'elle une femme toute-puissante.

Dans son étude sur le conte kabyle, C. Lacoste Dujardin nous dira qu'elle a cherché à travers les contes « ce que la société disait d'elle-même à elle-même, à un moment donné. Or, ce qu'elle dit paraît être d'abord un savoir, une façon d'appréhender le monde, appréhension partagée par l'ensemble de la communauté. Ce savoir est constitué en un ensemble de représentations, en un système structuré à valeur symbolique, transmis à tous, il est l'instrument de l'établissement d'un consensus sur le système de représentations » (12). « Ce sont des contes presque vivants », nous dira-t-elle par ailleurs ; elle a été frappée sans doute par l'air inspiré de la conteuse qui croit aux personnages de son conte, qu'il lui est très simple d'animer : il lui suffit de puiser dans son environnement. Il y a d'autre part tout le rituel qui préside à la récitation. Il est interdit de les raconter le jour, sinon nos enfants auront la teigne. Cela se passe donc, la nuit, autour d'une source de chaleur, serrés les uns contre les autres. Autour de la conteuse, nous suivons le cours de l'histoire plusieurs fois contée, mais toujours nouvelle.

Nous essaierons dans un premier temps d'approcher ce conte en utilisant la méthode de V.-J.-A. Propp qui consiste à décomposer le texte du conte en ses parties constitutives pour en saisir le mouvement. « Du point de vue morphologique, on appellera conte, tout développement qui part d'une malfaisance (X) ou d'un manque (X) pour aboutir, après être passé par des fonctions intermédiaires, à des noces (N) ou à d'autres fonctions utilisées comme dénouement » (13). Tous les contes merveilleux ayant la même structure, leur étude doit être conduite de manière strictement déductive, en allant des faits aux conséquences et en suivant l'ordre dicté par les contes eux-mêmes. Après avoir épuisé grâce à cette méthode l'aspect culturel qui n'est rien d'autre que le contenu manifeste, nous aborderons le contenu latent dont il semble bien pourvu.

Si nous décomposons le conte, nous allons donc avoir une série d'actions qui se présente de la façon suivante : Premièrement : *Un des membres de la famille s'éloigne de la maison.*

Le roi est effectivement parti à La Mecque pour accomplir le pèlerinage. C'est une forme renforcée d'éloignement dans la mesure où le déplacement, à l'époque, était très long et la personne qui le faisait n'était pas assurée du retour. Le départ à La Mecque était à l'époque et même actuellement le symbole de la mort. L'une des obligations

---

(12) Lacoste-Dujardin (C.), *Le conte Kabyle*, étude ethnologique, éd. F. Maspero, Paris 1970.
(13) Propp (V.-J.-A.), Morphologie du conte, éd. du Seuil, Paris, 1965.

du pèlerin est donc de s'acquitter de ses dettes, de bien pourvoir ses enfants, de se faire pardonner auprès de ses ennemis et faire ses adieux à tous. Le roi a laissé sa fille comblée de toutes les bonnes choses dans son palais, mais du malheur elle n'en savait rien et c'est ce qui émergea comme manque et besoin pressant lorsqu'elle entendit un marchand le proposer à la vente sous ses fenêtres. Deuxièmement : *Une interdiction est posée au héros.*

L'interdiction de faire entrer le marchand et de lui acheter ses fameuses graines est posée par les servantes. Il semble qu'en dehors du père, le roi, la princesse n'a autour d'elle que des femmes servantes, donc aucune ne peut poser l'interdit de façon efficace en dehors de l'homme tout-puissant, le garant de la loi et le gardien de ce lieu sacré qu'est la maison, mais cet homme est absent.
Troisièmement : *L'interdiction est transgressée.*

La transgression est accomplie. Elle profite de l'absence de ses servantes, fait entrer le marchand, il lui donne des graines qu'elle plante dans un pot. En échange elle lui donne un panier plein de louis d'or ; ce passage est très riche en symboles mais notons que, sur le plan culturel, la mariée, à la veille de sa première rencontre avec son époux, reçoit dans un panier tous les bijoux que lui offrent son mari, ses parents et amies , ici c'est elle qui offre en cachette un panier plein d'or. A partir de là, on suivra difficilement la progression proposée par V.-J.-A. Propp, on utilisera les deux dernières qui cadrent davantage avec le déroulement de l'action.
Quatrièmement : *La victime se laisse abuser et aide aussi involontairement l'ennemi.*

En fait sa complicité involontaire est liée au silence qu'elle va observer pendant si longtemps. Ce qui va permettre au « El Ghoul » d'exercer sa tyrannie en toute liberté.

Elle va fuir de ville en ville ; la nuit venue elle demande l'asile. Ce qui est curieux, quand on connaît le système socio-culturel dans lequel se déroule l'action, c'est que cette jeune femme demande l'asile à un homme qui l'héberge pour une nuit dans son lieu de travail, ce qui donne à réfléchir quand on connaît la stricte bipartition du monde arabe.
Cinquièmement : *L'antagonisme cause un tort ou un dommage à un membre de la famille.*

Les nuisances sont doubles et même triples, puisqu'elle est battue, son environnement détruit et le matin elle est à nouveau battue par son hôte d'une nuit. Jusqu'au jour où elle rencontre grâce à son savoir-faire et sa beauté un roi qui l'épouse. Par sa présence, il semble éloigner d'elle « El Ghoul », mais après la naissance de son fils, il réapparaît, le lui prend et fait croire aux autres qu'elle l'a mangé, elle s'est donc conduite en mère indigne. Son silence fait à nouveau d'elle une complice involontaire. Elle est jetée dans une étable et va vivre au même rang que les animaux.

Le dénouement de l'histoire va se présenter sous la forme d'un nouveau départ du roi en pèlerinage mais cette fois-ci avec un projet de retour puisqu'il est question de rapporter des cadeaux. La demande de son ancienne femme est ambiguë.

Le roi, principale figure du conte surtout au début et à la fin, va revenir cette fois-ci bien vivant, mais elle, veut mourir, car lorsqu'elle met sa tête sur la pierre, c'est pour qu'elle soit tranchée. Ceci lui est épargné par la vigilance du roi et au lieu de sa mort on assiste plutôt à sa délivrance du silence, sa libération par la parole, et sa revalorisation aux yeux de son époux. A ce moment-là « El Ghoul » réapparaît, lui rend son fils qui a bien grandi, ce qui signifie qu'entre-temps elle a bien vieilli et lui donne « la bague de la puissance » pour récompenser sa grande patience.

L'analyse psychologique de ce conte va nous montrer, en fait, toute la stratégie de la société face à l'émergence du désir chez la femme. C'est en l'absence du père que la princesse, qui vivait jusqu'alors comblée, entendit les propos troublants de l'étranger, « le marchand de malheur » qu'elle fit entrer à l'insu de son entourage. Il lui donna des graines qu'elle planta dans son pot. Elle lui donna en échange un panier de louis d'or qui n'est rien d'autre que son coffret à bijoux. La rencontre des sexes est claire, la révélation est d'importance, c'est celle de son désir sexuel. La nuit même, « El Ghoul » va lui rendre visite. C'est un personnage effrayant que nous avons traduit littéralement. Il est équivalent de l'ogre, rattaché à l'homme par son côté brutal et destructeur. Ce « El Ghoul » n'est rien d'autre que son désir violent révélé par le marchand. Il va se manifester la nuit ; pour l'assouvir elle va fuir de chez elle et courir de ville en ville. Sa démarche pour demander asile est aussi révélatrice de ce désir. Régulièrement c'est à un homme qu'elle le demande ; il le lui accorde d'ailleurs et chaque fois dans son lieu de travail. Le résultat est déplorable. L'acte sexuel est présenté comme étant destructeur, son corps est malmené, l'environnement est détruit. Elle va poursuivre ses pérégrinations jusqu'au jour où elle va rencontrer un roi, personnage à l'image de son père, avec lequel elle va se marier, rester sage le temps de lui donner un fils, et à nouveau « El Ghoul », ce désir dévastateur, va se réveiller, et faire d'elle une mère indigne à l'instinct animal. Les années passeront, le roi a atteint un âge vénérable, il va faire son pèlerinage et là quelque chose va se jouer en elle, qui est de l'ordre d'un deuil du père et de son désir qui n'a pas sa place dans la société. Elle va demander une pierre, « la pierre de la patience » sur laquelle elle va enfin pleurer leur mort à l'un et à l'autre. En introjectant la qualité de la pierre qui est non seulement patience mais aussi stabilité, elle va reprendre sa place d'épouse auprès de son mari. « El Ghoul » s'en va mais il lui rend son fils, elle reprend donc sa place de mère ; le désir se pétrifie, elle fixera son attention sur sa main, elle porte « la bague du Pouvoir », le pouvoir des mères.

TROISIÈME PARTIE

LE DÉVOILEMENT COMME RITUEL SACRÉ

La plupart des écrits ethnologiques traitant du mode de vie bédouin, chez les anciens Arabes, les nomades contemporains et les Berbères d'Afrique du nord, parlent d'un rituel sacré qui a lieu uniquement lorsque la vie de la tribu est en danger.

Son intérêt pour nous réside dans le fait que la femme et le voile y jouent un rôle essentiel. Jusqu'à présent, nous avons vu le groupe utiliser tous les moyens pour protéger ce point central qu'est la femme. A l'occasion de ce rituel, nous verrons le chef de la tribu dévoiler sa propre fille et l'exposer devant tous ses sujets ; mais aussi se faire accompagner par elle sur le champ de bataille, où sa position dans l'organisation et le déroulement de hostilités semble tout aussi centrale que dans la vie quotidienne.

J'exposerai dans ce qui suit les différents récits qui ont été faits de ce rituel dans des lieux et à des époques différents. J'essaierai aussi de dégager la signification de cette manifestation, son ancrage dans ce que G. Devereux appelle l'inconscient ethnique (1), et par conséquent à travers un ouvrage qui a fait date au moment de sa parution, « Nedjma », de Kateb Yacine, durant la guerre de libération algérienne et à la fête de l'indépendance.

Cependant, l'approche de ce phénomène nécessite la distinction entre un « avant » l'Islam, avec la multiplicité des pratiques sacrées, et un « après », avec les modifications qui se sont imposées. Nous verrons à travers ce qui nous a été rapporté de la vie de certaines tribus nomades contemporaines, que ce rituel s'est maintenu chez eux dans

---

(1) « *Le segment inconscient de la personnalité ethnique* (qu'on se gardera de confondre avec « l'inconscient racial » de Jung) désigne l'inconscient *culturel* et non *racial*. L'inconscient ethnique d'un individu est cette part de son inconscient total qu'il possède en commun avec la plupart des membres de sa culture. Il est composé de tout ce que, conformément aux exigences fondamentales de sa culture, chaque génération apprend elle-même à refouler puis, à son tour, force la génération suivante à refouler... », in :
Devereux (G.), *Essais d'ethnopsychiatrie générale*, éd. Gallimard, (première éd. 1970), Saint-Amand, 1983, p. 5.

son originalité. Il a été retrouvé aussi chez les Berbères d'Afrique du Nord, mais sous une forme symbolique. La persistance de ces pratiques archaïques traduit non seulement une forme de résistance à la nouvelle religion, mais surtout l'importance de la fonction que remplit ce rituel. Etant donné le rôle que joue la femme, nous sommes amenés à déterminer sa place dans le domaine du sacré.

Durant la période pré-islamique, il semble que les Bédouins réservaient une place de choix à la femme dans leurs rares manifestations religieuses. Ainsi, la clef de la Ka'aba était entre les mains d'une femme, la mère de 'Otman. On apprend aussi que « le nombre de pythonisses l'emporte presque sur celui des devins » (2), et que les anciens Arabes aimaient les consulter avant d'entreprendre quoi que ce soit d'important. En outre, chaque cité avait sa divinité propre. Elles étaient au nombre de trois en Arabie centrale et étaient considérées comme les filles d'Allah. « Sous le terme "filles d'Allah", "banât-Allah", on regroupait les trois déesses Manat, Al-Lat, Al-Uzza (cf. Sourate 53, 19, 20). Concernant leur identité, il est à noter que toutes trois jouissaient en Arabie centrale d'un rayonnement supralocal. Néanmoins, chacune possédait son groupe d'adorateurs. Ainsi Manat émerge plutôt comme divinité des Aws et Hazrag (Médine), Al-Lat comme celle des Taquîf (à Tâ 'if, près de La Mecque), et Al-'Uzza comme celle des Qurays » (3). En dehors de ces trois principales déesses, il existait une multitude de divinités ; chaque tribu avait la sienne. On en dénombrait « trois cent soixante dans la Ka'aba, qui avait été jadis fondée pour un culte monothéiste » (4).

Tout aussi sacré était le bétyle, lieu d'émergence du sacré. Le petit Larousse en donne la définition suivante : (du grec, baitulos - maison du seigneur). Pierre sacrée, en Syrie et en Phénicie par exemple, considérée comme la demeure d'un dieu et parfois comme le dieu même.

Parmi ces bétyles, certains étaient fixés à des sanctuaires

---

(2) Lammens (H.), *L'Arabie occidentale avant l'hégire*, Imprimerie Catholique, Beyrouth, 1928, p. 112.

(3) Mooren (Th.), « Monothéisme coranique et anthropologie », in *Revue Internationale d'ethnologie et de linguistique*, 76-1981, 3/4, p. 533.

(4) Esin (E.), *La Mecque ville bénie, Médine ville radieuse*, éd. Albin Michel, Paris, 1963, p. 42.

locaux, d'autres étaient transportables. Chaque tribu avait son palanquin ou sa litière qui servait au transport de ce simulacre divin. C'était aussi un autel particulier, ce qui permettait à la tribu de se déplacer sans perdre contact avec sa divinité, et par conséquent d'être toujours « dans son monde ». Mircea Eliade définit ce comportement comme étant « une expérience religieuse primaire, antérieure à toute réflexion sur le monde... ». « Pour vivre dans le monde, il faut le fonder, et aucun monde ne peut naître dans le chaos de l'homogénéité et de la relativité de l'espace profane. La découverte de la projection d'un point fixe - "le centre" - équivaut à la création du monde » (5). Ce point fixe, ce centre du monde, est occupé chez les Arabes par la Ka'aba, la maison sacrée, le beït el-Haram. Il est permis de se demander si les autels particuliers, dont se dotait chaque tribu, ne faisaient pas fonction de « Ka'aba transportable ». Montagne fait le même rapprochement, mais en y englobant aussi les litières qui servent au transport des filles du chef. « Il se peut, dit-il, que ces litières Abou-douhour et les palanquins des filles de chefs aient quelque chose de commun avec celles qu'ont connues les anciens Sémites. Peut-être est-il permis d'en rapprocher la litière sacrée du pèlerinage... » (6). Néanmoins, ils semblent remplir la même fonction, quoique à une échelle beaucoup moins grande, en ce sens que, pour une tribu, c'est un point de ralliement, un symbole guerrier et un emblème religieux. Il confère à celui qui le possède l'autorité de chef et le charisme d'un Kahin. Aussi est-il mis hors de portée de toute personne étrangère, ainsi que de la parenté mâle du chef. Il demeure « sous la tente du prince dans la partie réservée aux femmes, c'est-à-dire le haram, le lieu le plus intime et le moins accessible » (7). Il est intéressant de noter l'emplacement du sacré par excellence dans un lieu aussi sacré. Lorsque avec le temps, toute la mise en scène disparaîtra et ne persistera que l'essentiel, du moins sa traduction au plus près de ce que

---

(5) Eliade (M.), *Le sacré et le profane*, éd. Gallimard/Idées, Paris, 1965, pp. 21-22.
(6) Montagne (R.), *La civilisation du désert*, éd. Hachette, Paris, 1947, p. 84.
(7) Musil-Rwala, pp. 571-574, in Chelhod (J.), *Introduction à la sociologie de l'Islam*, *op. cit.*, p. 55.

le groupe veut défendre, c'est au cœur du harem, de la maison, que nous retrouverons l'emblème de la souveraineté de tout chef de famille, de tout un peuple menacé dans son intégrité. C'est autour de lui que va s'organiser la défense des hommes. C'est sur lui que vont se concentrer les multiples attaques de l'occupant, qui comprit que le toucher, c'est toucher au fondement du groupe. Je parle bien sûr de la femme algérienne, ce dernier bastion de la résistance, refuge des valeurs ancestrales, sur lequel se concentra à un moment donné toute l'attention de l'occupant, qui pensait qu'en gagnant la femme à ses théories émancipatrices, il allait miner de l'intérieur la résistance du groupe et le disloquer à jamais.

L'un des multiples moyens élaborés pour pénétrer ce monde fut la technique médicale. Soulager la souffrance, acquérir par ce moyen la sympathie du malade et l'ascendant sur lui pour faire passer ses directives, telle fut la mission du docteur Dorothée Chellier. Le compte rendu qu'elle fit au gouverneur général de l'Algérie, Monsieur Cambon, est on ne peut plus clair : « On n'ignore pas - dit-elle, dans l'introduction de son rapport, - que depuis la conquête de l'Algérie, nos efforts pour assimiler les Arabes sont restés à peu près stériles. Les flatteries, les rigueurs n'ont abouti à aucun résultat sérieux. L'Arabe demeure réfractaire à toutes les tentatives de civilisation... »

« Étant d'origine algérienne, et connaissant les mœurs du pays, je m'étais souvent demandée si la possibilité de pénétrer dans le gynécée n'était pas une des causes pour lesquelles l'assimilation était restée jusqu'ici impossible. »

« Tant que la mère des enfants, celle qui donne à leur esprit les impressions si tenaces du premier âge, sera maintenue dans la condition d'ignorance où nous la trouvons aujourd'hui, on ne peut espérer soit l'acclimatation de nos mœurs dans un milieu réfractaire, soit leur greffe sur les sauvageons de la barbarie... »

« Et quel moyen plus puissant y aurait-il pour aider à l'assimilation que de placer, auprès des femmes indigènes, des femmes médecins qui apporteraient un soulagement à leurs souffrances et les initieraient progressivement à tous les bienfaits de notre civilisation. » Mme Chellier terminera son discours sur la toute-puissance qu'elle se voyait acquérir sur la population indigène : « Chez nous, ne voit-on pas le médecin devenir l'ami de la famille ? Ses idées, ses conseils ne sont-ils pas suivis même en dehors de son domaine technique ? Personne n'ignore combien grande est son influence, précisément parce qu'il agit souvent sur l'esprit aux heures où la maladie a affaibli la volonté et rendu le tempérament docile » (8)

Je n'ai pu résister à la tentation de laisser à Mme Chellier toute la place nécessaire pour donner libre cours à sa volonté de toute-puissance. Elle lui faisait perdre de vue que cette société avait d'autres référents sur le plan culturel que la société occidentale. Le médecin était sans doute apprécié, mais souvent consulté en dernière instance, après que la dimension psychologique ait été abordée avec le taleb. Au médecin étranger est apporté un corps à soigner, même lorsque le problème est d'ordre psychologique. La formulation est somatique tant qu'un certain parcours n'a pas été fait de part et d'autre pour qu'une véritable rencontre puisse avoir lieu. Or, l'époque dont je parle n'était sûrement pas faite pour ce genre de rencontre, ou à de rares exceptions. Il était avant tout question de développer une stratégie pour dominer l'autre, qui se barricadait dans ses derniers retranchements.

D'autres moyens ont été mis au point pour attirer les femmes à l'extérieur, mais, à l'exception de quelques-unes, cela n'a entraîné chez elles qu'un plus grand durcissement sur leur première position. A ce jeu d'attaque et de défense, elles sont non seulement aguerries, mais initiées depuis des temps immémoriaux. Du haut de leur litière sacrée, elles surveillaient le déroulement de la bataille et intervenaient de façon significative lorsque leur groupe était sur le point de battre en retraite.

Nous retrouvons le récit de ce rituel sacré à différents moments de l'histoire des Arabes. Tout à fait au début de l'Islam, à l'occasion des multiples batailles qui opposaient les tenants de la foi monothéiste aux qoraïchites idolâtres, on retrouvait régulièrement dressé, sur le champ de bataille, le fameux Beït dont la présence semblait être indispensable. Ceci nous est confirmé par le discours que tient Abou-Sofiân à ceux qui ont la garde de cette bannière.

---

(8) Chellier (D.) Dr, *Voyages dans l'Aurès*, Tizi-Ouzou, Imprimerie Nouvelle, 1895, pp. 6-26.

C'était au combat d'O'hod qui opposait le prophète et ses compagnons aux Qoraïchites, où l'on vit Abou-Sofiân prendre avec lui l'idole de Hobal, la plus grande de celles qui étaient placées dans le temple de La Mecque, afin que l'armée arabe eût à combattre pour sa religion... » (9)

Au moment de la bataille, « l'étendard des Qoraïchites était, selon l'usage, porté par les descendants d''Abded-Dâr, fils de Qoçayy. Les Qoraïchites ayant formé leurs lignes de bataille, Abou-Sofiân fit placer le chameau qui portait l'idole de Hobal devant les rangs et ordonna aux femmes de se tenir derrière les rangs ; puis il dit aux soldats : si vous ne voulez pas combattre pour votre religion, au moins combattez pour venger le sang versé à Bedr et pour les femmes... » (10)

Pour stimuler la combativité des guerriers, les femmes « se tenaient derrière l'armée, en battant du tambour de basque pour encourager les soldats. Hind, femme d'Abou-Sofiân, sautillait et dansait, en chantant ces vers :

« Nous sommes filles de l'étoile du matin ;
Nous foulons sous nos pieds des coussins,
Nos cous sont ornés de perles ;
Nos cheveux sont parfumés de musc.
Si vous combattez, nous vous pressons
dans nos bras.
Si vous reculez, nous vous délaisserons.
Adieu l'amour ! » (11)

Nous retrouvons le même rituel lors de l'intervention d'Al-Find-Az-Zimmani, dans la guerre civile de Bakr et de Taglib. « En sa compagnie chevauchaient ses deux filles :

شيطنتان من شياطين الإنس

- Deux lutines endiablées, « comme des lutins pétulants qui courent le monde et se réjouissent à taquiner, agacer, berner tout être qui vit. Au fort du combat, et lorsque le succès semblait chancelant, l'une d'elles se dés-

(9) Tabari, *Mohammed, sceau des prophètes*, éd. Sinbad/Islam, Paris, 1980, p. 189.
(10) Ibid., p. 193.
(11) Ibid., pp. 197-198.

habille, jette ses vêtements... » La sœur l'imite et, se portant au milieu des rangs, lance ces rimes :

إن تقبلوا نعانق و نفرش الغمارق

- En avant, foncez sur l'ennemi,
- Nous vous préparons des embrassements,
des tapis moelleux. » (12)

Ces différents récits de batailles, où le rituel sacré est pratiqué dans son originalité, étaient le fait des tribus idolâtres.

Du côté des musulmans, le référent était la foi en un Dieu unique auquel il ne fallait rien associer. Nous retrouvons cependant, à la bataille du chameau, le dromadaire sacré et la qobba, mais à la place du bétyle il y avait Aïcha, « la mère des croyants », dont la garde d'honneur était constituée uniquement d'hommes. Le recours à ce rituel archaïque était lié à la menace qui pesait sur la communauté musulmane. Donc, à nouveau lorsque la menace touchait au fondamental, on avait recours à quelque chose dont l'ancrage était plus profond et les effets plus décisifs. Lammens insiste à juste titre sur le fait que : « La survie de l'usage archaïque devait rendre sensible à tous les yeux que le meurtre du calife Otman avait remis en question l'existence de la gamaà, communauté islamique... » (13). C'est donc « la mère des croyants » que l'on vit régnant sur son groupe le temps d'une bataille. Nous sommes désormais au royaume des mères qui gagnent au niveau du sacré, mais au prix de l'occultation de leur corps, de leur féminité.

Quant aux trois divinités féminines, Manat, Al-Lat et Al-Uzza, les fameuses filles d'Allah qui étaient souvent présentes sur le champ de bataille, elles furent dès le début la cible du prophète, qui fit ressortir le côté absurde de cette croyance des anciens Arabes dans la sourate 16, 57 ss :

57. Ils donnent des filles à Allah - gloire à lui -, alors qu'ils ont des fils qu'ils désirent.

---

(12) Lammens (H.), *op. cit.*, p. 112.
(13) Ibid., p. 111.

58. et que, lorsqu'on annonce à l'un d'eux (la venue) d'une femelle, son visage s'assombrit. Suffoqué.
59. Il se dérobe aux siens par honte de ce qui lui est annoncé, (se demandant) s'il conservera cet enfant pour son déshonneur ou s'il l'enfouira dans la poussière. O combien détestable est ce qu'ils jugent !...

Le mot clef de l'argument de Mohammed est : c'est là un « partage inique » (qismadîzâ).
21. Avez-vous le mâle et, lui, la femelle !
22. Cela alors, serait un partage inique (Sourate 53) (14).

On retrouve le rituel sacré dans son originalité chez les « Rouala du désert », qui échappèrent à l'influence de l'Islam et « au puritanisme du wahhabisme jusqu'en 1925 » (15). Ainsi, ils réussirent à garder intactes leurs coutumes et à conserver leur idole, connue sous le nom d'Abou-Dohor. « C'est une sorte de palanquin, toujours déposé près de la tente du chef et qui est orné de bouquets de plumes d'autruche noires dans lesquelles souffle le vent. Des aspects que prend Abou-Dohor sous la brise, on tire, paraît-il, des présages » (16).

C.-R. Raswan, qui séjourna pendant longtemps dans cette tribu, nous rapporte le déroulement de ce rituel, lorsqu'elle se trouva aux prises avec l'un des fléaux qui guette toute tribu nomade, la sécheresse et son corollaire, la famine. Elle fut acculée à franchir des frontières qui lui étaient interdites, au risque d'être décimée, mais cela ne se fit, qu'après avoir satisfait aux rites ancestraux.

Le spectacle est saisissant : « Des centaines de mille de dromadaires beuglaient sur l'étendue désertique, comme un peuple bourdonnant et affolé d'abeilles sur un rayon de miel... Mais un dromadaire couleur fauve, devant tous les autres, en avant du peuple guerrier, portait un attirail singulier sur sa solide charpente. Des centaines de faisceaux de plumes noires d'autruche sauvage et de barbares ornements étaient attachés à l'échafaudage. Celui-ci était de bois léger d'acacia, équilibré et fixé sur un bât spécial. C'était

(14) Mooren (Th.), *op. cit.*, p. 534.
(15) Montagne (R.), *op. cit.*, p. 83.
(16) Ibid.

le "markab" (le "bateau"), appelé aussi "abou-douhour", le "père des anciens temps"), l'arche d'Ismaël ! »

« Cette bannière de la confédération des Bédouins Rouala, fut, aux dires de ces derniers, mise en branle par Allah à des époques historiques et critiques de leur histoire, en particulier lors de luttes décisives, et leur révélait où ils rencontreraient l'ennemi et auraient à engager le combat... »

« Lorsque Touéma (la fille du chef) atteignit le symbole de la tribu, elle marcha un instant aux côtés du puissant dromadaire que conduisait un esclave. Le tournoiement des voiles et les trilles des femmes atteignirent un paroxysme d'extase. Touéma s'arracha tout à coup au cercle des femmes, prit un élan et, sans faire arrêter la bête, saisit une sangle à l'épaule du dromadaire, se hissa lestement sur le dos de l'animal et sur le siège élevé du palladium sacré un siège s'y trouvait en avant à gauche avec un étrier. Touéma s'y assit et trôna comme une reine du désert au-dessus de son peuple.

Touéma se leva et se tint debout sur l'échafaudage. Sa figure éclatait de joie. Un vertige de bonheur la saisit. Elle ouvrit subitement de ses deux mains son vêtement jusqu'au cou et se mit à chanter d'allégresse. La poitrine ouverte, elle tendait sa souple stature au-dessus du sommet de la bannière et tenait dans sa main élevée une poignée de plumes d'autruche sauvage d'un blanc immaculé. Elle paraissait une déesse, la vierge la plus vaillante et la plus belle de sa grande tribu. Elle lançait des promesses passionnées aux jeunes hommes et leur insufflait l'exaltation guerrière. Elle les suppliait de penser aux héros qui se laissèrent attacher un jour à cette bannière par les liens de fer, afin de ne pas abandonner leur reine et de la défendre jusqu'à leur dernier souffle » (17).

Plus proche de nous encore, en Algérie, dans le recueil de nouvelles d'Assia Djebar sur un trajet d'écoute de 1958 à 1978, un récit qui rappelle les temps héroïques : « Au temps de l'émir Abdelkader, des tribus nomades qui lui sont fidèles, les Arbaa et les Harazélias, se trouvent assiégées en 1839 au fort "Ksarel Hayran" par l'ennemi traditionnel, Tedjini. Le quatrième jour du siège, les assail-

(17) Raswan (C.-R.), *op. cit.*, pp. 104-106.

lants escaladent déjà les murs, quand une jeune fille des Harazélias, nommée Messaouda ("l'heureuse"), voyant les siens s'apprêter à tourner le dos, s'écria :

"Où courez-vous donc ainsi ? C'est de ce côté que sont les ennemis ! Faut-il qu'une jeune fille montre comment doivent se comporter les hommes ? Eh bien, voyez !"

Elle monte sur le rempart, se laisse glisser au dehors face aux ennemis. S'exposant ainsi volontairement, elle déclame en même temps :

"Où sont les hommes de ma tribu ?
Où sont mes frères ?
Où sont ceux qui chantaient pour moi
Des chants d'amour ? »

Sur ce, les Harazélias s'élancent à son secours, et la tradition rapporte qu'en vociférant ce cri de guerre et d'amour : "Sois heureuse, voici tes frères, voici tes amants !" ils repoussèrent, électrisés par l'appel de la jeune fille, l'ennemi, et le chant se termine par "cette exaltation de la meurtrissure héroïque", "Messaouda, tu seras toujours une tenaille pour arracher les dents !" » (18)

Dans ses trois études d'ethnologie kabyle, P. Bourdieu nous rapporte le même rituel, mais sous une forme symbolique. Chez les Kabyles, « le combat prenait parfois la forme d'un véritable rituel : on échangeait des injures, puis des coups et le combat cessait avec l'arrivée des médiateurs. Pendant le combat, les femmes encourageaient les hommes de leurs cris et de leurs chants, qui exaltaient l'honneur et la puissance de la famille. On ne cherchait pas à tuer ou à écraser l'adversaire. Il s'agissait de manifester que l'on avait le dessus, le plus souvent par un acte symbolique. En grande Kabylie, le combat cessait, dit-on, lorsque l'un des deux camps s'était emparé de la poutre-maîtresse (thigejith) et d'une dalle prise à la thajma'th de l'adversaire » (19). Or, dans la maison kabyle 'thigejdith est le pilier principal, un tronc d'arbre fourchu qui est clai-

---

(18) Djebar (A.), *op. cit.*, pp. 179-180.
(19) Bourdieu (P.), *op. cit.*, p. 21.

rement identifié à l'épouse, la maîtresse de maison. « Les Beni Khellili l'appellent Mas'uda (Messaouda), prénom féminin qui signigie "l'heureuse" (20).

Ce bref tour d'horizon nous a permis d'évaluer l'importance de ce rituel sacré chez les Arabes, par sa constance sur le champ de bataille et son fonctionnement comme principe organisateur et inducteur de combativité. Mais, comme « la plupart des rites surnaturels, véritablement importants, ils violent les règles et offensent les valeurs qui gouvernent l'existence quotidienne ; du point de vue culturel, ils représentent souvent un comportement en « miroir » (21). C'est ainsi que, malgré les exhortations de Lammens, qui nous invite à voir dans ce rituel autre chose que « l'ébranlement des instincts inférieurs », nous ne pouvons nous empêcher de constater que ce corps, jusqu'alors enfoui sous plusieurs voiles, est dévoilé, ou plutôt sa dimension d'abord et surtout sexuelle et féminine est brutalement mise en avant comme pour montrer aux guerriers ce qu'ils risquent de perdre, ce qui risque d'être atteint, au cas où ils reculeraient devant l'ennemi. On retrouve, mais exposé dans sa fragilité, dans sa passivité, le sacré, « la horma » qui sollicite le « nif », le point d'honneur de l'homme, pour être défendu, et par conséquent exalte la combativité des hommes, quand elle ne les accule pas à se conduire en « homme ».

Ce rituel met à découvert les soubassements d'une organisation sociale et d'un système parental connu pour sa rigidité à l'égard de la femme, quand ce n'est pas son avilissement tout court. Sa vie durant, elle sera l'objet d'une grande vigilance de la part de son groupe de parenté ou de leur substitut : le voile de laine ou le voile de ciment. Limitée dans son évolution et ses mouvements, quand elle n'était pas tout simplement enterrée vivante chez les anciens Arabes, elle sera hissée au rang de déesse au moment où son groupe sera en danger, et aura pour tâche de les galvaniser. Ce double mouvement réalise tout à fait la situation de l'ambivalence affective dont parle Freud à propos du tabou des seigneurs chez les primitifs. Mohammed dénonce lui aussi ce paradoxe, quand il interpelle les

(20) Ibid., p. 49.
(21) Devereux (G.), *op. cit.*, p. 37.

Qorays à propos du « partage inique » qu'ils font lorsqu'ils attribuent des filles à Dieu.

21. Avez-vous le mâle et, lui, la femelle !
22. Cela alors, serait un partage inique (Sourate 53).

Si l'on se rappelle par ailleurs ce qui a été développé sur le fonctionnement du clan qui, semblable à une ruche, est un tout organique qui se meut au même diapason, toute atteinte portée à l'un de ses membres est ressentie par l'ensemble et provoque la réaction du tout.

« La femme n'est donc pas seule à être "souillée". Son frère, son père, son époux le sont, si possible, encore plus. Etre l'objet du coït souille l'honneur de la femme, mais encore plus, et même d'abord, celui des hommes de la famille. Encore plus sont les mots clés. Ils expriment le fantasme : faire l'amour avec une femme, c'est le faire avec son époux, son père et ses frères ; c'est les dégrader, les châtrer, les féminiser. Ceux-ci ne laveront leur honneur qu'en prouvant qu'ils n'ont pas été féminisés, qu'ils sont plus virils encore que l'homme qui a séduit leur épouse, fille ou sœur. La preuve est qu'ils le tuent et mutilent son cadavre » (22). Ce cordon viril encerclant la litière sacrée, à l'intérieur de laquelle se trouve la plus jeune fille de la tribu, évoque un encerclement de la féminité du groupe batailleur, qui aurait besoin, en la circonstance, uniquement de sa virilité, de son caractère mâle pour guerroyer.

Il me semble que ce rituel éclaire d'un jour nouveau la situation de la femme arabe, qui est depuis si longtemps prisonnière du sacré.

La présence de la femme dévoilée sur le champ de bataille et, qui plus est, dénudée au plus fort de l'action, surtout au moment où son groupe est défaillant, ne peut manquer d'évoquer en moi ce passage de S. Freud sur « la tête de Méduse ». « Ce symbole de l'épouvante fait partie du costume de la déesse vierge Athéna. Avec raison, car elle devient par là une femme inapprochable qui repousse tout désir sexuel. N'exhibe-t-elle pas le sexe terrifiant de la mère ? Etant donné l'homosexualité courante

(22) Devereux (G.), *Considérations ethnopsychanalytiques sur la notion de parenté*, éd. Flammarion, Paris, 1972, p. 181.

chez les Grecs, cette représentation de la femme terrifiante, à cause de sa castration, ne pouvait pas manquer à leur imagerie... L'exhibition des parties génitales est connue d'autre part également comme un acte apotropique. Ce qui vous plonge dans la terreur, fera le même effet à l'ennemi contre lequel il faut se défendre » (23).

Ce qui galvanise les hommes, ce n'est donc ni les cris, ni les gestes, ni les promesses d'amour de la jeune femme qui les accompagne, mais la menace de castration dont elle est l'image vivante et qu'elle dévoile et exhibe au moment opportun, à ceux qui fuient. La réponse des amants-frères de Messaouda est à ce propos on ne peut plus claire : « Messaouda, tu seras toujours une tenaille pour arracher les dents ! »

Nous sommes donc en présence d'un rituel sacré, le dévoilement de la femme, derrière lequel se profile l'image de la mère toute-puissante et castratrice. Son utilisation à différents moments de l'histoire des Arabes, ainsi que son fonctionnement, montrent que les mécanismes sous-jacents qui lui ont donné naissance, sont toujours à l'œuvre.

---

(23) Freud (S.), « La tête de Méduse », in *Revue française de Psychanalyse*, PUF, t. XLV, mai-juin 1981, pp. 451-452.

I

L'ÉMERGENCE DU RITUEL SACRÉ DANS LE ROMAN *NEDJMA*, DE KATEB YACINE (1)

Je n'essaierai pas de faire une analyse exhaustive de ce livre qui, à lui seul, justifierait un travail de thèse. Je tenterai plutôt une approche de ce qui s'est révélé à l'homme, qui devint l'auteur d'une œuvre d'une telle envergure. Rien, pourtant, ne prédisposait l'adolescent qu'il était, à produire ce genre d'écrit. Il évoluait dans un milieu politiquement et culturellement orienté vers la France. « Une de ses cousines était la première musulmane adjointe au maire de Bône. Un de ses oncles, Abdelaziz Kateb, était haut fonctionnaire aux affaires musulmanes » (2). Lui-même a, très tôt, présenté des capacités intellectuelles et littéraires qui le mettaient en bonne place dans ce monde.

Bref, il représentait l'image du parfait assimilé, l'aboutissement d'un long processus d'acculturation qui lui faisait dire, par la suite : « Presque tous, nous avions basculé dans le mythe de l'Algérie-Française, presque tous, nous avions succombé à la fascination exercée par l'étrangère. »

Mais, il y eut au moins, pour l'auteur, la brusque rencontre avec les événements de Sétif, le 18 mai 1945 : la manifestation à laquelle il participa, la violente répression qui s'ensuivit, son emprisonnement, la rencontre avec les nationalistes algériens qui étaient déjà loin dans leur parcours révolutionnaire, et puis, au même moment, il y eut le mariage de celle qu'il aimait, sa cousine Nedjma, avec un autre que lui. Comme le dit J. Dejeux : « Tout a commencé, en fait, par un double coup de foudre : celui du

(1) Kateb (Y.), *Nedjma*, éd. du Seuil, Paris, 1956.
(2) Bachetarzi (M.), *Mémoires 1919-1939*, Alger, S.N.E.D., 1968, p. 266 (cité par J. DEJEUX).

face-à-face avec l'Algérie meurtrie, de la génération sacrifiée et celui du dépit amoureux. La cousine Nedjma (« étoile ») convoitée était mariée avec un autre. Amours impossibles ! Une mère malade et dépossédée d'elle-même, une amante qui a pris la fuite, un pays aliéné » (3). « Le 8 mars 1945 tomba sur Kateb comme un coup de hache » (4). Le feu était dans la maison, dans la tête, dans le corps. Son « vague humanisme » s'évanouissait rapidement devant la répression. Hypersensible, traumatisé par l'événement, Kateb allait sentir monter en lui des sentiments nouveaux. La représentation de l'ennemi faisait défaut auparavant. Or voilà que, sous le choc de la fascination exercée par la France, on passe à la fascination du sang (5) : « Le sang reprend racine [notre terre en enfance tombée] Sa vieille ardeur se rallume. »

Il y eut ceux qui prirent le fusil. Lui, il prit sa plume et, à l'image du poète de la Djahilya (6), porte-parole de sa tribu, personnage sacré dont les vers étaient aussi affûtés que les sabres des plus vaillants guerriers, il s'est chargé de rendre à l'amnésique sa mémoire, à un pays son histoire. Il n'est pas question de vains mots, mais de redonner vie à une mémoire qu'on assassinait, à un pays qu'on dénaturait, à des enfants dont on voulait faire des errants, des « brandons calcinés ».

Je m'attacherai à suivre le cheminement de l'auteur, pour donner forme à cet éveil, et poursuivre une œuvre authentiquement algérienne que je résumerai avec J. Dejeux : « L'imagination créatrice aidant, Nedjma s'est sublimée en femme-Algérie vierge ou mère-Algérie. Le débat entre

---

(3) Déjeux (J.), *op. cit.*, p. 268.

(4) Aba (N.), « Kateb-Yacine », *Afrique*, n° 55, mai 1966, p. 42.

(5) Podhorska-Reklajtis (E.), *Etre une nation, Problèmes de la culture en Algérie contemporaine*, Varsovie, éd. Sc. de l'Etat, 1971 (cité par J. DEVREUX).

(6) Le poète de la Djahilya était considéré comme « le porte-parole de forces surnaturelles » (Goldsiher : Philologie, t. I, 1896, 1.121). « Vénéré comme le protecteur et le garant de l'honneur de la tribu et comme arme puissante contre ses ennemis » (Encyclopédie de l'Islam, nouvelle édition, t.I, Paris-G.P. Maisonneuve). « Le poète jouissait de très grands pouvoirs de convaincre sa tribu de sa propre valeur et d'abaisser le moral de l'ennemi. Les poètes avaient vraisemblablement plus de pouvoir dans l'Arabie anté-islamique, que la presse à l'époque moderne. Les Arabes sentaient qu'il y avait quelque chose de surnaturel ou de magique en eux » (A history of the Arabs, Cambridge, 1930, 79).

l'amour pour la cousine et l'amour pour la "Révolution" (découverte faite en prison auprès des militants) entraîne une amplification au second degré de cette Nedjma. Le poète "récupérait" aussi son amour frustré sous le symbole de la "Révolution". L'Algérie en tant que femme, "toujours vierge après chaque viol", mère ou déesse nationale, Kahéna ou amazone casquée et guerrière, occupa donc dans l'esprit de l'auteur la place de la cousine-sœur. »

« Les jeunes cousins âgés, dans le roman, de seize à dix-huit ans, tournent autour de Nedjma, jaloux les uns des autres. L'image de l'Algérie, investie par l'Autre, prendra, au fur et à mesure de leur conscientisation politique, plus de consistance que la femme réelle » (7).

Mais ceci ne fut possible que lorsque l'homme renoua avec le passé de la Berbérie, ses mythes, contes et légendes. Il le dit lui-même : « J'eus recours à plus d'une légende. » Mais, plus importante encore était l'injonction qui le poussa à renouer avec ce segment de son « inconscient ethnique », qu'il s'appliquait jusqu'alors à ignorer. L'auteur disait, en 1963, qu'il était possédé par une espèce de démon intérieur, le poussant à creuser en lui-même le plus loin possible. « Au fond, une grande partie de mon travail est inconscient. »

De façon consciente ou inconsciente - ce sont des termes qui reviennent souvent à propos de cette œuvre -, il a recours à ce rituel du dévoilement de la femme, que j'évoque dans le chapitre précédent. Cependant, alors que les anciens Arabes se faisaient accompagner par la plus jeune et jolie fille de la tribu pour se rappeler à tout instant que perdre la bataille, c'est perdre la cohésion tribale qui s'exprime de façon ultime dans sa virginité ; ici, la démarche de l'auteur va être nécessairement différente. Il va falloir remonter les aiguilles de l'horloge du temps, - puisque la bataille est perdue -, l'Algérie est entre les mains des étrangers, les conquérants se sont succédé depuis la défaite du premier ancêtre. « Elle est métissée, acculturée, tatouée et travestie depuis des siècles. Les racines mêmes de cette Algérie sont hybrides et entremêlées comme l'origine de Nedjma, fille de la Française juive et d'un descendant de Keblout » (8).

---

(7) DEJEUX (J.), *op. cit.*, p. 274.
(8) Ibid., p. 279.

- Le sang de la vierge a été répandu. Nedjma, la femme aimée, est entre les mains d'un autre, « une Salammbô déflorée, ayant déjà vécu sa tragédie vestale, au sang déjà versée... Femme mariée » (9).

- La cohésion de la tribu a éclaté, « l'ancêtre mythique est lui-même déserteur depuis des siècles, dans la condition du spectre », « ainsi qu'un vieil idéal, il erre par monts et par vaux » (10).

- Les pères sont absents. Ils ont quitté la tribu pour suivre l'étrangère, la mère de Nedjma, et se sont entretués. Ainsi, avec elle, la discorde a été introduite dans le groupe. La ville, ou la France, « lieu suprême de la déchéance, mais combien désirable », achève le processus d'éclatement de la cohésion tribale. Tout a volé en éclats, s'est éparpillé depuis la première défaite. La fine poussière de l'oubli a commencé à recouvrir les mémoires. « Qui d'entre nous n'a vu se brouiller son origine comme un cours d'eau ensablé, n'a fermé l'oreille au galop souterrain des ancêtres, n'a couru et folâtré sur le tombeau de son père... » (11)

L'amnésie est en train de gagner tout le monde, « le livre du passé est déchiré, et personne ne se reconnaît plus à cause de l'amnésie : Nedjma, l'Algérie, la mère, aucune ne se souvient. La fine poussière de l'oubli s'accumule sur Rachid, "comme à la suite d'un astre" » (12).

L'auteur va donc se charger de faire recouvrir la mémoire à l'étoile amnésique et rassembler les pages de l'histoire de l'Algérie. C'est une démarche authentiquement révolutionnaire. Comme l'écrit Jankélévitch : « Toute activité révolutionnaire ne tend, au fond, qu'à ramener les hommes à leur état de soi-disant pureté primitive, à dégager le tronc de la tradition de toutes les excroissances parasitaires qui l'ont recouvert au cours des siècles, et menacent de l'écraser sous leur poids (...) ; toute révolution est une recherche du paradis perdu » (13). Les pères n'ayant pas été à la hauteur de leur tâche, ils ne peuvent servir

(9) Kateb (Y.), *op. cit.*, p. 177.
(10) Dejeux (J.), *op. cit.*, p. 277.
(11) Ibid., p. 278.
(12) Ibid.
(13) Jankelevitch, *Révolution et tradition*, Janin, Paris, 1947, pp. 13-14. Cité par J. DEJEUX - op. cit., p. 280.

de modèle. L'auteur va donc faire appel au vieux mythe de l'ancêtre fondateur, Keblout, pour faire contrepoids à nos ancêtres les Gaulois.

Nedjma, l'étoile vagabonde - celle qui entraîna sur son sillage les cousins-frères, qui désertent le Nadhor pour se perdre dans la ville -, est reprise par sa tribu, « le vieux nègre s'était abattu sur elle comme un vautour ». Elle sera purifiée et réintégrée dans sa tribu, pour jouer à nouveau son rôle de point central et organisateur de la vie du groupe, l'étoile de la tribu. Elle va rester au campement des femmes, plus personne ne pourra l'approcher, la voir ou lui parler, et lorsque l'ancêtre aura besoin d'une vierge pour enflammer la ville, c'est sur elle que son choix sera porté, maintenant que la voilà purifiée et revenue à ses origines.

Nous sommes à nouveau en présence de ce rituel sacré - « le dévoilement de la femme » auquel faisaient appel les anciens Arabes, lorsque la vie de leur tribu était menacée.

L'auteur a utilisé ce thème de façon originale. Ce fut pour lui non seulement une contribution au mouvement révolutionnaire qui animait l'ensemble de la population, mais aussi une tentative de réconcilier soi-même et les autres avec notre passé, nos racines, notre histoire jusque-là ignorée, ou vouée à la clandestinité.

L'auteur va donc faire une large place à cette histoire des origines, qui n'a rien à voir avec l'histoire officielle, non pas dans le sens d'une complaisance dans l'évocation du passé, mais plutôt un réenracinement, avec comme perspective un avenir nécessairement différent.

II

L'ÉMERGENCE DU DÉVOILEMENT COMME RITUEL SACRÉ A L'INSU DE DEUX AUTEURS OBSERVATEURS

Nous allons à nouveau rencontrer ce phénomène du dévoilement de la femme durant la guerre de libération algérienne. Bien sûr, nous ne retrouvons ni le palanquin sur lequel va siéger la jeune fille, ni l'encerclement par les cousins-frères. Ce n'est plus une tribu qui est mise en danger, mais une nation qui s'est révélée pour faire front à l'occupation étrangère. A un moment donné de cette lutte, la femme et le voile vont jouer un rôle essentiel. Deux observateurs de renom ont assisté à cet événement et nous l'ont rapporté. De par leurs formations respectives, ils répondent tout à fait aux critères de la complémentarité. L'un d'eux était psychiatre et engagé politiquement auprès des peuples en lutte pour leur libération. Il s'agit de Frantz Fanon. Il relate le phénomène du dévoilement dans son livre, « L'an V de la révolution algérienne », sous le chapitre : « L'Algérie se dévoile ». L'autre est ethnologue, activité particulièrement suspecte à une période délicate. G. Tillion, puisque c'est d'elle qu'il s'agit, a su faire preuve de loyauté envers les deux communautés, l'algérienne et la française, en ne ménageant ni l'une, ni l'autre lorsqu'il le fallait (1).

Pour des raisons d'ordre méthodologique, je commencerai par exposer l'approche de F. Fanon. Elle présente l'avantage d'avoir été faite sous l'angle psychologique et sociologique ; ce qui nous donne une vision assez complète de l'ampleur de l'événement au niveau des deux communautés, et son retentissement sur les individus à travers un matériel psychologique.

---

(1) Tillion (G.), *Les ennemis complémentaires*, éd. de Minuit, Paris, 1957.

L'intérêt de l'approche de G. Tillion réside dans le fait qu'elle a été faite en deux temps. La première fois, c'était en 1957 dans son livre : « Les ennemis complémentaires ». Elle va parler du phénomène de dévoilement, mais de façon un peu hâtive, dans un style journalistique. Une sorte de conclusion, tirée un peu trop rapidement, d'une situation de rupture d'équilibre. Les événements qui ont eu lieu ne sont pas à négliger, au contraire ; ils sont très significatifs, mais comme point d'appel, pistes de recherche. Des points de départ et non pas d'aboutissement d'une évolution. C'est d'ailleurs ainsi que semble l'entendre par la suite G. Tillion, lorsqu'elle va revenir sur sa première position, en consacrant tout un livre, « Le harem et les cousins », au problème de la femme dans la « république des cousins ». L'intérêt de sa démarche réside dans le fait qu'elle a pu bénéficier de l'épreuve du temps et de l'honnêteté intellectuelle de l'auteur, qui ne la fit pas reculer devant l'ampleur du problème à traiter.

Je commence donc, comme je l'ai énoncé au départ, par l'analyse de F. Fanon. Selon cet auteur, « on peut pendant longtemps ignorer qu'un musulman ne consomme pas de porc ou s'interdit les rapports sexuels pendant le mois de Ramadhan, mais le voile de la femme apparaît avec une telle constance qu'il suffit, en général, à caractériser la société arabe ». Cependant, à l'époque où il en parle, il caractérise en plus une société colonisée : « le haïk » délimite de façon très nette la société colonisée algérienne... Avec le voile, les choses se précisent et s'ordonnent. La femme algérienne est bien, aux yeux de l'observateur, « celle qui se dissimule derrière le voile » (2). Elle délimite les deux mondes, celui du colonisateur et celui du colonisé. Elle est une frontière, une limite opposée à la volonté expansionniste de l'occupant. Elle, son voile, le tout confondu, vont exacerber son agressivité et polariser son attention.

Des chercheurs vont être mobilisés autour de la question de la femme et du voile. Ethnologues et sociologues vont se mettre à l'œuvre et découvrir sous le voile une puissance jusque-là occulte. Sous des dehors patriarcaux, la société arabe est en fait d'essence matriarcale ; « der-

---

(2) Fanon (F.), *Sociologie d'une révolution*, éd. Maspero, Paris, 1959, pp. 13-14.

rière le patriarcat visible, manifeste, on affirme l'existence, plus capitale, d'un matriarcat de base. Le rôle de la mère algérienne, ceux de la grand-mère, de la tante, de la "vieille", sont inventoriés et précisés » (3). Ce monde va donc être la nouvelle cible à atteindre, le dernier noyau de la résistance. « L'administration coloniale peut alors définir une doctrine politique précise : "Si nous voulons frapper la société algérienne dans sa contexture, dans ses facultés de résistance, il nous faut d'abord conquérir les femmes. Il faut que nous allions les chercher derrière le voile où elles se dissimulent, et dans les maisons où l'homme les cache" (4). Il lui faut définir une nouvelle stratégie, une guerre plus subtile, une guerre psychologique. Elle va réveiller l'esprit chrétien et missionnaire qui sommeille chez ses ressortissants. Ils vont se voir investis d'un nouveau devoir envers la patrie, celui de convertir le colonisé, le gagner à leurs idées émancipatrices.

Du côté des femmes, « des sociétés d'entraides et de solidarité » avec les femmes algériennes se multiplient. Les lamentations s'organisent. « On veut faire honte à l'Algérien du sort qu'il réserve à la femme. » C'est la période d'effervescence, d'infiltration, au cours de laquelle des « meutes d'assistantes sociales et d'animatrices d'œuvres de bienfaisance se ruent sur les quartiers arabes » (5).

Du côté des hommes, une action tout aussi subtile est menée, mais elle varie en fonction de leur niveau intellectuel. L'ouvrier subit une pression continuelle sur le chantier. Ses camarades européens questionnent et s'étonnent que lui aussi voile sa femme. Son patron dans son bureau directorial, de façon très personnalisée, l'invite, lui et sa femme, à venir à l'occasion de certaines manifestations : « l'entreprise étant une grande famille, il serait mal vu que certains viennent sans leurs épouses, vous comprenez, n'est-ce pas ?... » Il se trouve donc acculé à sortir sa femme. « C'est s'avouer vaincu, c'est "prostituer sa femme", l'exhiber, abandonner une modalité de résistance. Par contre, y aller seul, c'est refuser de donner satisfaction au patron, c'est rendre possible le chomage » (6).

---

(3) Ibid., p. 16.
(4) Ibid.
(5) Ibid., p. 17.
(6) Ibid., p. 18.

L'agressivité est plus directe face à l'intellectuel. Il lui est reproché de « limiter l'extension des habitudes occidentales apprises, de ne pas jouer son rôle de noyau actif de bouleversement de la société colonisée... (7) »

Au niveau de l'individu européen, dans son for intérieur, le voile n'est pas sans provoquer toute une fantasmatique parfois délirante dans sa folie meurtrière d'autres fois teintée d'exotisme, mais toujours dangereuse dans sa négation de l'autre. Le voile cache un secret qu'il faut arracher en déchirant le voile et le corps, cherchant vainement, dans cette chair qui se débat, quelque chose qu'il veut posséder (8). « Chaque fois que l'Européen dans des rêves à contenu érotique rencontre la femme algérienne, se manifestent les particularités de ses relations avec la société colonisée. Ces rêves ne se déroulent ni au même plan érotique, ni au même rythme que ceux qui mettent en jeu l'Européenne. Avec la femme algérienne, il n'y a pas de conquête progressive, révélation réciproque, mais d'emblée, avec le maximum de violence, possession, viol, quasi-meurtre... » (9)

Il faut également souligner, dans le matériel onirique, un caractère qui nous paraît important. « L'Européen ne rêve jamais d'une femme algérienne prise isolément. Les rares fois où la rencontre s'est nouée sous le signe du couple, elle est rapidement transformée par la fuite éperdue de la femme qui, inéluctablement, conduit le mâle « chez les femmes ». L'Européen rêve toujours d'un groupe de femmes, d'un champ de femmes, qui n'est pas sans évoquer le gynécée, le harem, thèmes exotiques fortement implantés dans l'inconscient » (10).

« A l'offensive colonialiste autour du voile, le colonisé oppose le culte du voile. »

Le voile, qui était jusqu'alors l'expression d'une volonté d'anonymat, va être porteur d'un autre message. Un dialogue va s'instaurer entre le colonisateur et le colonisé par l'intermédiaire de ce voile, qui va lui signifier son opposition. Au trop-plein d'activités et de discours, aux multiples approches, il va opposer le blanc, le silence, une fin

---

(7) Ibid., p. 19.
(8) Ibid., p. 20.
(9) Ibid., pp. 23-24.
(10) Ibid., p. 26.

de non-recevoir. Il va en même temps signifier par sa constance une solidarité avec le groupe d'appartenance. Ceci va se faire dans un premier temps lors de la résistance passive. Dans un deuxième temps, il va sortir de sa dimension tabou et devenir un outil au service de la lutte. Il va camoufler les hommes et les femmes qui transportent, sous le voile, tracts, armes et munitions.

Nous arrivons finalement à une troisième phase, où la femme doit se dévoiler parce que la lutte va s'étendre à la ville européenne. Elle ne va plus bénéficier de la protection de la ville arabe ; « le manteau de la Kasbah, le rideau de sécurité presque organique que la ville arabe tisse autour de l'autochtone se retire, et l'Algérie à découvert est lancée dans la ville » (11). Nous abordons la phase où la femme algérienne se dévoile, mais pas sous l'injonction de l'occupant ni même de l'autochtone, qu'il soit parent ou compagnon de lutte. F. Fanon le souligne : « L'intérêt de ces innovations réside dans le fait qu'elles ne furent à aucun moment comprises dans le programme de la lutte. La doctrine de la révolution, la stratégie du combat, n'ont jamais postulé la nécessité d'une révision des comportement à l'égard du voile... » (12)

Peut-on alors parler d'un mouvement spontané ? Il est salué comme tel par l'opinion internationale que nous résume F. Fanon : « Les observateurs, devant le succès extraordinaire de cette nouvelle forme de combat populaire, ont assimilé l'action des Algériennes à celle de certains résistants ou même d'agents secrets de services spécialisés. Il faut constamment avoir présent à l'esprit le fait que l'Algérienne engagée apprend à la fois d'instinct son rôle de "femme seule dans la rue" et sa mission révolutionnaire. La femme algérienne n'est pas un agent secret. C'est sans apprentissage, sans récits, sans histoire, qu'elle sort dans la rue, trois grenades dans son sac à main ou le rapport d'activité d'une zone dans le corsage. Il n'y a pas chez elle cette sensation de jouer un rôle lu maintes et maintes fois dans les romans, ou aperçu au cinéma. Il n'y a pas de coefficient de jeu, d'imitation, présent pres-

(11) Ibid., p. 30.
(12) Ibid., p. 27.

que toujours dans cette forme d'action, quand on l'étudie chez une occidentale » (13).

Selon l'auteur, en l'espace de quelques heures, l'Algérienne arrive à camper un personnage de femme dévoilée et active dans la lutte, malgré des blocages apparemment insurmontables. Sur le plan extérieur, ils sont représentés par une occupation étrangère qui se veut sans limites. Non contente d'avoir occupé le terrain, elle veut s'installer au centre de l'individu et expulser tout ce qui fait sa particularité. Il fallait donc à cette nouvelle femme non seulement limiter cet envahissement, mais y faire face, en lui opposant par l'intermédiaire du voile une barrière infranchissable ; et maintenant, apprendre à se passer de cette protection ou plutôt intérioriser le symbole et laisser tomber son représentant, le morceau de tissu. Or, il est apparu dans sa vie beaucoup plus tôt et pour d'autres raisons. Comme l'a relevé F. Fanon, le voile n'intervient pas à n'importe quel moment de la vie de l'Algérienne. Il apparaît au moment où le corps connaît sa phase de plus grande effervescence, à l'adolescence, « le voile protège, rassure, isole » (14). C'est à partir de ce moment que les valeurs sociales telles que la honte, la pudeur, la peur, prennent plus de consistance. Un voile est jeté sur les débordements physiques et psychologiques que peut vivre l'adolescente, en attendant qu'une tutelle plus grande vienne prendre la relève. Je pense bien sûr au mariage, qui mettra fin à la situation équivoque dans laquelle se trouvent l'adolescente et sa famille. Tout ceci semble avoir été bousculé en quelques heures : « L'Algérienne en 48 heures a bousculé toutes les pseudo-vérités que des années "d'études sur le terrain" avaient, pouvait-on croire, amplement confirmées. Certes, la révolution algérienne a provoqué une modification des attitudes et des perspectives... Et d'abord le fameux statut de l'Algérienne, sa prétendue claustration, sa radicale mise à l'écart, son humilité, son existence silencieuse, confinant à une quasi-absence. Et la "société musulmane", qui ne lui a fait aucune place, amputant sa personnalité... « De telles affirmations, éclairées par "des travaux scientifiques", reçoivent aujourd'hui

---

(13) Ibid., p. 30.
(14) Ibid., p. 40.

la seule contestation valable : l'expérience révolutionnaire » (15).

G. Tillion arrive aux mêmes conclusions, sans passer par une analyse aussi détaillée de la situation, ni de l'enjeu qu'a représenté le voile. C'est plutôt un aperçu global de l'effondrement des structures sociales des deux communautés. Une vision cataclysmique qu'elle nous résume de la façon suivante : « Au cours d'un bon petit siècle de gestion, des Français avaient élaboré et implanté des structures administratives sur le territoire conquis (communes mixtes, caïds, ouakkafs, etc). J'ai assisté personnellement à leur effondrement, qui a été total et définitif en moins de six mois. Elles avaient cependant été conçues par des gens qui connaissaient bien le pays, dans un climat psychologique favorable et - c'est le moins qu'on puisse dire - à loisir. Elles ont été remplacées, dès 1955, par des improvisations nécessairement hâtives auxquelles des militaires, ne connaissant pas le pays, s'efforcent actuellement de faire prendre racine (dans l'ambiance que l'on sait et avec les chances de succès que l'on imagine). »

« Les vieilles structures originales de la société autochtone ont résisté plus longtemps, mais elles sont à leur tour en train de craquer. Cloisonnement tribal, autorité des anciens, organisation familiale, position particulière de la femme, tout cela avait déjà été entamé par quelques brèches, mais rien de comparable au véritable éclatement auquel nous assistons aujourd'hui. Je connais personnellement de nombreuses familles musulmanes austères et traditionalistes, où la jeune fille de la maison est passée directement du voile au blue-jeans, et du harem au maquis, tandis que le vieux papa balance entre la consternation et la fierté patriotique. Qui peut imaginer l'opération inverse : l'héroïne en pantalon qui accepterait de reprendre le haïk blanc d'Alger, ou le haïk noir de Constantine, et qui consentira à extérioriser désormais sa personnalité dans la confection exclusive des pâtisseries » (16).

Dès 1964, elle va revenir sur cette position et consacrer tout un livre à la question.

---

(15) Ibid., p. 47.
(16) Tillion (G.), *op. cit.*, pp. 14-15.

Il me semble que ce n'est pas un hasard. Sa perspicacité lui a permis de se rendre compte assez rapidement que ce qu'elle avait pris pour un tournant décisif dans la vie de la femme, n'était en fait qu'un leurre. Son dévoilement, son avènement dans la vie publique et nationale, en passant par l'épreuve du feu et en la réussissant, tout cet élan vital précurseur d'une vie différente ne pouvait durer que le temps de la révolution. Tout devait rentrer dans l'ordre dès que la guerre aurait pris fin. Il s'agit bien sûr de l'ordre antique de la « république des cousins », « des nobles riverains de la Méditerranée », à l'honneur pointilleux et aux frontières hermétiques, qui cultivent encore de nos jours « le vivre entre soi ». Ainsi, les « vieilles structures » qu'elle avait vues s'effondrer sous ses yeux, « ne sont pas encore toutes détruites, puisqu'elles continuent à s'effondrer sous nos yeux, mais elles ont commencé leur déclin il y a plus de sept mille ans. Du moins dans la partie du monde où elles survivent » (17). Plus haut, elle nous rappelle que « l'évolution urbaine est plus ancienne dans le levant méditerranéen que partout ailleurs. Tout s'y passe pourtant comme si elle y était continuellement arrêtée à mi-course par une sorte de thermostat. Selon notre hypothèse, il fonctionnerait sans se détraquer depuis le néolithique » (18). L'avilissement de la femme serait lié, d'après elle, à cette interminable dégradation de la société tribale, à une évolution incomplète de la société endogame.

Les travaux de ces deux auteurs m'ont intéressée à plus d'un titre. Hormis le fait qu'ils constituent des documents précieux sur l'époque en général et sur l'avènement du dévoilement de la femme en particulier, ils viennent confirmer l'hypothèse que j'ai avancée, à savoir que même durant la guerre de libération, le dévoilement de la femme a fonctionné comme un rituel sacré. La perfection du mouvement ne pouvait qu'alerter. C'était un de ces « modèles d'inconduite », qui est un des apports fondamentaux de l'ethnopsychiatrie. « Singulièrement dans les situations de stress, la culture fournit elle-même à l'individu des indications sur les « modes d'emploi abusif. » Ce sont ces « indications d'emploi abusif » que Linton (297) nomme

(17) Tillion (G.), *op. cit.*, p. 184.
(18) Ibid., p. 182.

des « modèles d'inconduite ». Tout se passe comme si le groupe disait à l'individu : « Ne le fais pas, mais si tu le fais, voilà comment il faut t'y prendre » (19). G. Devereux a pu étendre ce mécanisme aux processus sociaux et affirme que « tout rituel surnaturel est, pour l'essentiel, en opposition avec le système de valeurs courantes de la culture dans son ensemble. En fait, plus un acte est "sacré" et "contraignant", plus grande est l'horreur qu'il inspirerait s'il était accompli dans un contexte profane » (20).

Le dévoilement qui est apparu à cette période de rupture d'équilibre, de stress, n'était donc que l'actualisation d'un usage archaïque, programmé dans notre patrimoine culturel. Ce n'était pas l'aboutissement d'un long processus d'évolution, un acquis irréversible, puisque à la fin de la guerre de libération, un peu partout dans les pays arabes, en Algérie aussi, les femmes se voient priées de réintégrer leur cadre de vie traditionnel, donc le voile. L'ironie du sort veut que les voyageurs qui de nos jours se rendent en Algérie y sont frappés par la persistance de cette coutume qui veut que les femmes sortent voilées, du moins celles qui ne font pas partie de la minorité instruite.

(19) Devereux (G.), *op. cit.*, p. 34.
(20) Ibid., p. 37.

QUATRIÈME PARTIE

DU STATUT DE PROTÉGÉE À CELUI D'EXCLUE

Pour être plus complète, cette étude bénéficierait certainement d'une approche un peu plus fine de la famille algérienne. C'est une tâche particulièrement difficile, car, à l'image du pays, elle est en pleine mutation. Je ne peux cependant faire l'économie de ce travail, dans la mesure où il va servir de toile de fond à l'enquête menée sur le terrain. Il va permettre de voir dans quel contexte émerge la femme dévoilée, quelle place est faite à celle qui s'affranchit non seulement du voile, mais aussi de ce qu'il présuppose. Que devient-elle dans une société où toute relation est calquée sur le modèle familial ? Où l'on est soit intégrée à la famille et protégée, soit rejetée et exclue.

L'Algérie n'étant pas un conglomérat de clans et de tribus, mais plutôt un pays qui veut se placer dans le concert des nations modernes, il est permis de s'interroger sur la place qu'il réserve à la femme, dans son projet de société socialiste. Cette étude va porter sur cette partie de la population algérienne qui a été directement en contact avec les remous de l'histoire, par son implantation dans des régions ouvertes sur l'extérieur, telles que les villes côtières, mais aussi les riches plaines intérieures de l'Oranie, la vallée du Cheliff, la Mitidja, la plaine de Bône. Je mettrai donc de côté la société berbère (petite et grande Kabylie, Aurès et Mzab). En dehors du fait que pendant longtemps elle a constitué un terrain d'élection pour les ethnologues et sociologues de la période coloniale (ils retrouvaient dans ce genre de société « un fond culturel commun tant aux Gallo-Romains qu'aux Kabyles et Berbères » (1) - un peuple profondément enraciné dans son terrain, par opposition à une Algérie arabe et sans racines parce que nomade. Les visées politiques d'un tel raisonnement sont connues, et je ne reviendrai pas là-dessus), cette société offre peu d'intérêt pour cette étude, parce qu'elle a su se tenir en dehors des influences étrangères, quelle que soit leur ori-

(1) Descloitres (R.) - Debzi (L.), « Système de parenté et structures familiales en Algérie », in *A.A.N.*, Vol. II, p. 25.

gine, et maintenir intacte sa structure sociale, ses coutumes et traditions. Ceci grâce à une position géographique à caractère défensif qui se trouve dans des massifs montagneux, et une structure de l'habitat qui ne laisse pas de place à l'étranger.

Je traiterai de la même manière les sociétés nomades ou récemment sédentarisées, qui ont su elles aussi échapper aux influences islamiques et coloniales, grâce à une autre caractéristique, mais qui a les mêmes propriétés que la première. Leur mobilité dans les grands espaces et leur culte de la famille les laissent indifférents devant tout ce qui agite le monde.

J'étudierai donc la famille citadine et rurale, arabophone de l'Algérie du nord. « Qui dit arabophone ne dit pas nécessairement arabe. »

« Les campagnes peuplées actuellement d'arabophones ont été le lieu d'un brassage extraordinaire de population. La vallée du Cheliff, grande voie naturelle, fournit un exemple caractéristique : outre qu'elle a connu de tous temps l'immigration des populations montagnardes (berbères) du nord et du sud, elle a été le lieu de passage des grandes invasions arabes préhilaliennes et hilaliennes, le terrain des heurts et des affrontements entre migrations de l'Orient et migrations de l'Occident, entre les unes et les autres et les tribus du Dahra et de l'Ouarsenis. Dès avant les invasions hilaliennes, la société de la plaine du Cheliff, peuplée de tribus berbères, est déjà islamisée du fait des infiltrations arabes » (2). « Par conséquent, la caractéristique arabophone de la population des plaines et des villes ne signifie pas une substitution des Arabes aux Berbères, mais plutôt leur arabisation. Celle-ci ne s'est pas faite du jour au lendemain. La première incursion arabe date du VIIe siècle et fut conduite par le gouverneur de l'Égypte » (3). Elle s'est vue opposée une résistance très vive de la part des Berbères, sous la direction de chefs tel que Koceila et la Kahina.

On ne peut parler d'islamisation totale qu'à partir du XIe siècle. Quant à l'arabisation, elle est beaucoup plus tardive. Mais si elle s'est faite malgré tout dans les régions

(2) Bourdieu (P.), *Sociologie de l'Algérie*, PUF, Paris, 1974, p. 51.
(3) Toumi (M.), *Le Maghreb*, PUF, Paris, 1982, p. 11.

qui nous intéressent, c'est grâce à un certain nombre de facteurs qui méritent d'être signalés. L'un des plus importants est le nombre très réduit des conquérants arabes ; ce qui a eu pour vertu de limiter l'appropriation des biens et des terres autochtones. Sans compter que l'une des caractéristiques de ces « nobles bédouins » était justement leur non-attachement à une parcelle de terrain en particulier et le mépris dans lequel ils tenaient ceux qui travaillent la terre.

Par contre, aux yeux des cultivateurs autochtones, les Bédouins sont revêtus d'un immense prestige. « Ils parlent la langue du Coran, montent à cheval, possèdent des troupeaux et ne travaillent pas la terre. Les paysans recherchent leur protection, s'efforcent de parler leur langue et, ensuite, d'être des leurs. Puis ils viennent à prendre le nom patronymique de la fraction ou de la tribu auxquelles avec le temps ils finissent par se croire apparentés. Ils veulent donc être appelés arabes, parce qu'ils parlent l'arabe et portent un nom arabe » (4). A ce niveau-là, une sorte de complémentarité s'instaure entre les deux populations. Elle est renforcée par un certain nombre de similitudes, liées à un système de parenté patrilinéaire dans les deux communautés. Mais, malgré tous ces points communs, l'Islam et le message dont il est porteur vont être adoptés plus vite que les messagers. Avant d'en arriver à la famille, il nous faut aborder une dernière distinction, celle qui existe entre le monde rural et le monde citadin. Malgré une différence très nette au niveau du style de vie, tel que le langage, la politesse, la culture, la cuisine et l'habillement qui distingue le monde citadin du monde rural, nous retrouvons les mêmes structures sociales, les mêmes valeurs immuables qui régissent la famille algérienne où qu'elle se situe.

Pour désigner la famille algérienne, j'utiliserai le terme de *'âyla*, au lieu de *'osra* ou *ahl*, qui sont des termes usités dans le monde arabe, ainsi que le Coran. Le mot 'âyla est un néologisme dont l'auteur serait El-Jahidh, célèbre écrivain et vulgarisateur de renom. La racine du mot exprime à la fois un état de privation, et l'action de prendre quelqu'un en charge ou subvenir à ses besoins. C'est

(4) Bourdieu (P.), *op. cit.*, p. 76.

ainsi que lorsqu'on lui adjoint le suffixe « ti », ce qui donne *'aylti*, cela peut signifier soit ma femme ou ma famille. Il y a aussi le mot *beyt*, que l'on retrouve aussi bien dans le monde arabe qu'au Maghreb - étymologiquement le lieu ou l'on dort -, et qui désigne aussi, selon les régions, l'épouse, la famille élémentaire ou la famille étendue.

Sous le couvert du terme 'âyla, trois notions apparaissent :

- le fondement juridique des relations entre parents exprimant les droits et obligations, découlant de valeurs religieuses.
- l'organisation du groupement, dirigée par celui qui est tenu de prendre en charge les autres membres, à cause des liens de parenté qui les unissent.
- l'unité économique du groupe, qui implique le respect des obligations entre parents.

Selon les circonstances, on peut trouver deux types de 'âyla :

- une 'âyla composée par la famille du père, ainsi que les différentes familles de ses fils mariés.
- une 'âyla composée des familles de plusieurs frères et éventuellement de celles de leurs fils mariés.

Dans le cas de la première 'âyla, c'est le père qui est le chef. Les enfants, quel que soit leur âge, lui doivent un profond respect et une obéissance absolue. Cette obéissance est liée sans doute au pouvoir quasi charismatique que détenait l'ancien chef de la tribu bédouine. Avec l'Islam, il a été dessaisi de cette dimension sacrée, « puisque à l'ordre divin, tous les croyants sont également soumis ». Le père a gardé néanmoins l'autorité morale et quelque chose du côté sacré, qui fait craindre à ses enfants d'encourir sa colère, et, partant, sa malédiction. La tradition veut que la malédiction paternelle ou maternelle s'accomplisse non seulement dans l'au-delà, mais déjà en ce monde. Il n'est pas rare, dans les campagnes, de voir attribuer un échec ou un revers du sort à la colère ancienne d'un père défunt, et il est fait un grand usage de l'image du « fils maudit » dans l'éducation. On évitera avec soin tout ce qui pourrait déplaire aux parents, en même temps qu'est recherché tout ce qui pourrait avoir leur faveur pour acquérir cette fameuse bénédiction. Si l'enfant maudit va se faire remarquer par ses multiples échecs ou par sa conduite d'échec, celui qui a été plein d'égards pour ses parents va se constituer un capital de ces bénédictions acquises au fil des années. Il en est parfaitement conscient, ce qui donne à chacune de ses démarches une assurance particulière. Il proclamera au besoin : « Je n'ai pas peur, parce que j'ai la bénédiction de mes parents. »

La relation à la mère sera plus nuancée dans ses manifestations par la profonde affection qui l'attache à ses enfants, mais cela n'enlèvera rien à son autorité, qui trouvera à s'exercer dans la gestion interne de la maison. Avec l'âge, elle va acquérir un pouvoir qu'elle ne partagera ni avec son mari, ni avec ses belles-filles, qu'elle aura soigneusement choisies en fonction de la règle endogamique et d'autres critères plus personnels.

La seconde 'âyla, constituée par les familles de plusieurs frères, implique elle aussi un chef de famille, qui aura été désigné par le père avant sa mort. Ce n'est pas forcément l'aîné des frères, mais la plupart du temps celui qui a su se distinguer et s'imposer par sa personnalité et ses compétences à l'intérieur du groupe familial, mais aussi à l'extérieur, en sachant faire face et représenter dignement son groupe familial aux yeux des autres.

Comme la plupart du temps la 'âyla fonctionne comme une unité économique, le chef va jouer le rôle de gérant du patrimoine et répartir les tâches entre les différents frères. Le bénéfice qui résulte de ce travail fait en communauté va être mis dans une caisse commune appelée kuds (tas commun). La vie en communauté dans la grande maison implique non seulement une répartition égalitaire des tâches, mais aussi des biens de consommation.

L'habitat va être une projection sur le sol, de l'organisation et de l'esprit qui anime le groupe. Il va se caractériser par la hauteur de ses murs et sa fermeture sur le dehors. Très peu de fenêtres, ou, si elles existent, leur hermétisme est considéré comme la caractéristique des familles respectables. Ceci témoigne non seulement de l'attachement aux valeurs telles que l'intimité et la pudeur, mais surtout une préoccupation constante : celle de ne jamais donner prise à la critique, ne rien laisser apparaître de son intimité, maintenir intacte la façade du groupe, et, si possible, donner de soi une image prestigieuse. Car appartenir à une famille de renom, connue et distinguée, est un capital symbolique non négligeable. Un grand nombre d'occasions seront utilisées pour faire preuve de prodigalités ostentatoires, ce qui est une façon de redorer le blason. Par ailleurs, chaque élément de la 'âyla va contribuer à maintenir intacte ou à renforcer l'image que veut donner de soi le groupe familial, par une conduite irréprochable, où ne perce jamais la personne, mais toujours le personnage. Ceci est facilité par le fait que la 'âyla est constituée uniquement par des agnats des deux sexes, c'est-à-dire des descendants en ligne masculine d'un même ancêtre mâle. Dès que l'on s'éloigne du lignage agnatique qui est constitué par deux ou trois 'âyla, qui représentent parfois plus d'une centaine de personnes, on se trouve face à la masse des Beni-'Amm, les cousins paternels dont la parenté est souvent fictive, comme nous l'avons vu précédemment. Le paradoxe réside dans le fait qu'au Maghreb, comme dans le monde arabe, le même système de parenté patrilinéaire organise des multitudes dans des groupements parfaitement structurés, et leur offre des modèles de conduite identiques qui ne débouchent pas sur une homogénéisation de la population, mais plutôt son cloisonnement, en vertu de principes identiques pour tous. Nous en citerons un certain nombre. Ils ont été recensés par N. Zerdoumi chez « les enfants d'hier ». Ce sont les hommes et les femmes d'aujourd'hui qui ont été éduqués selon ces principes.

1) « Une religiosité foncière aux aspects formels et ritualistes. C'est sans conteste l'événement le plus important de l'existence de l'individu - il ne s'en départira jamais. Tous les gestes de sa vie prendront place dans une hiérarchie : ceux qui sont obligatoires et ceux qui conviennent ; ceux qui sont répréhensibles et ceux qui sont défendus, de loin les plus astreignants et les plus nombreux. Il n'y aura pas de gestes indifférents. Il faudra revêtir l'habit convenable, user du langage convenable, prendre soin des apparences avant de laisser percer, devant l'étranger exclusivement, une personnalité d'allure affranchie. »

2) « Une impavidité qui n'est pas ostentatoire, mais naturelle en face des nouveautés scientifiques. Les découvertes les plus imprévues ne prendront jamais en défaut la confiance en la toute-puissance de Dieu dans tous les domaines, et, par conséquent, ne provoqueront pas d'émer-

veillement. Elles susciteront un intérêt pratique lorsqu'elles deviendront accessibles à l'usage. »

3) « Le sentiment que la famille constitue un havre immuable et permanent, où l'on reprendra ses habitudes délaissées chaque fois que l'on y reviendra après l'avoir quittée » (5).

Un autre principe est enseigné à l'enfant, mais il n'est pas cité comme tel par l'auteur, c'est la méfiance de l'étranger : « Les étrangers sont rassemblés sous l'appellation de *barrânyïn* ou *braouya*. Ces gens-là jouent dans l'esprit des enfants un rôle d'intrus qu'il faut narguer, duper, mépriser, parfois supporter. Sur eux, se portent tous les sentiments d'hostilité qu'il faut contenir à l'intérieur du groupe familial... » (6)

La constante qui se dégage de ces principes éducatifs est le conformisme, le conventionnalisme, la fidélité à la tradition des ancêtres, la pérennité du passé, au détriment du présent et du futur qu'on préfère laisser entre les mains de Dieu. On se débarrasse en même temps de l'angoisse qu'implique toute projection dans le temps. On lui préfère un cadre stable, celui de la famille élargie, des attitudes, des gestes et un langage qui portent en eux le poids du passé toujours présent. « Dans sa famille, l'enfant apprend en outre les règles de la civilité et, plus précisément, les paroles qu'il devra prononcer en chaque circonstance. La politesse fournit des formules toutes préparées pour toutes les situations de l'existence. Une conversation peut se poursuivre, presque à l'infini, sans que rien soit laissé à l'improvisation. Bref, l'apprentissage culturel tend à réaliser de véritables montagnes psychologiques qui ont pour fin, apparemment, de garantir contre l'improvisation ou, même, de l'interdire, tout au moins d'imposer à la pensée ou au sentiment personnel une forme impersonnelle » (7). Tout contribue à figer l'élan. Tout changement, toute évolution est vécue comme une *bida'a*, grave manquement à la règle sociale, qui a horreur de l'émergence de la personne dans son originalité.

Il est un fait d'importance qui mérite d'être signalé,

---

(5) Zerdoumi (N.), *Enfants d'hier*, éd. Maspero, Paris, 1979, p.39.
(6) Ibid., p. 42.
(7) Bourdieu (P.), *op. cit.*, p. 84.

c'est qu'il ne s'agit nullement de principes religieux, même s'ils se réclament de l'Islam, mais plutôt de ceux de l'antique clan arabe et nomade, contre lequel est entré en lutte le Prophète de l'Islam, en leur substituant d'autres principes qui ont donné naissance, en leur temps, à une brillante civilisation. Ainsi, à l'esprit sectaire et méfiant du Bédouin à l'égard de tout étranger au groupe, il a substitué la confiance et l'ouverture. Contre son conformisme aveugle, il a fait appel à son esprit critique, à sa réflexion, démarche à laquelle il n'a jamais été convié auparavant.

Il a fait éclater les limites de son cadre tribal et l'a intégré à une communauté beaucoup plus vaste, celle des croyants.

Il a libéré son Moi des contraintes multiples dans lesquelles il se trouvait et a permis l'avènement de sa personne.

C'est dire, au regard de ce qui précède, que les « enfants d'hier », que nous décrivait N. Zerdoumi, ont été élevés non selon les principes novateurs de l'Islam, mais selon les principes bédouins d'avant l'Islam. Que peut-on espérer d'eux lorsque l'on sait quelle place était faite à la femme dans ce type de société ? Il n'y a pas d'autre alternative que *l'adhésion aux principes ancestraux* (on sait lesquels), et par conséquent le bénéfice de la protection, *ou l'exclusion de la communauté*, comme prix de la liberté et de l'émergence de la personne. On pourrait me reprocher de parler de quelque chose qui n'existe plus dans l'Algérie actuelle, du moins dans cette partie que je me suis proposée d'étudier. « Les grandes familles », tout au long de la période coloniale, n'ont-elles pas sombré, sans gloire, dans de multiples compromissions, ou bien celles qui ont essayé de résister ne se sont-elles pas effondrées sous les coups de boutoir de la colonisation, qui les a dessaisies des trois dimensions : politique, économique et sociale, qui faisaient leur force. Ainsi, s'exprimait l'un des chefs de tribu : « Depuis l'arrivée des Français, qui ont occupé les terres beylik, nous avons été refoulés sur des territoires dont la plus grande partie n'était pas défrichée. Du temps des Turcs, nous n'avons jamais été aussi malheureux, parce que, alors, une grande partie de nos populations étaient établies sur ces terres beylik, qui ont toujours été les meilleures et les plus arrosées. Nous n'avions, il est vrai, que la jouissance de ces terres ; mais en définitive, nous les cultivions, et elles rapportaient beaucoup plus que les surfaces que nous occupons aujourd'hui. Nous les travaillons, nous ne sommes point encore arrivés à les mettre dans de bonnes conditions de culture » (8).

Le même sort fut réservé aux terres des fondations religieuses ou habous. Leur appropriation va entraîner la rupture d'un certain nombre de droits d'usage.

« Enfin, en 1863, les Français appliquèrent la notion de propriété privée de la terre aux possessions musulmanes. Cet acte légal eut un double effet. D'une part, il détruisit d'un seul coup la pyramide des droits qui avaient assuré jusqu'alors la subsistance de l'humble cultivateur, en empêchant que la terre ne fût une marchandise circulant librement. D'autre part, en jetant toutes les terres musulmanes sur le marché libre, il permit aux colons français de les acheter ou de s'en emparer » (9). L'auteur poursuit plus loin en disant que « les Français ne s'y trompèrent pas lorsqu'ils proposèrent d'abolir les droits à la terre résultant de l'affiliation, non seulement comme un moyen d'instituer la propriété privée de la terre, mais aussi comme un moyen de détruire le pouvoir indépendant des grands lignages. Ils y réussirent d'une part en dépouillant les lignages principaux de leur influence politique, d'autre part en cantonnant la population dans des groupes de peuplement séparés en douars » (10).

Les visées politiques du gouvernement de l'époque se concrétisent. La dispersion de la tribu, la confiscation de ses terres, ne peuvent qu'amoindrir le pouvoir de son chef. Quant aux conséquences de ces ruptures sur le plan social et économique, elles ont été prévues par certains observateurs français. « Il y avait, au fond de ce chaos, quelques garanties pour le travail, un certain sentiment d'égalité. Il n'en sera plus de même à partir de l'individualisation. Une fois la terre définitivement acquise, l'inégalité commence :

---

(8) Nouschi (A.), *Enquête sur le niveau de vue des populations rurales constantinoises, de la conquête jusqu'à 1919 : essai d'histoire économique et sociale*, PUF, Paris, 1961, pp. 386-387. Cité par E. WOLF in *Les guerres paysannes du XXe siècle*, éd. Maspero, Paris, 1974, pp. 222-223.
(9) Ibid., p. 223.
(10) Ibid., p. 224.

d'un côté les propriétaires, de l'autre, les prolétaires, absolument comme dans nos sociétés civilisées » (11).

G. Tillion eut l'occasion de vérifier ces prévisions. « Quand je les ai retrouvés, entre décembre 1954 et mars 1965, j'ai été atterrée par le changement survenu chez eux en moins de 15 ans et que je ne puis exprimer que par ce mot : « clochardisation ». Ces hommes qui, il y a 15 ans, vivaient sobrement mais décemment, et dans des conditions à peu près identiques pour tous, étaient maintenant scindés en deux groupes inégaux : dans le moins nombreux, l'aisance, il est vrai, était plus grande qu'autrefois, mais dans l'autre plus personne ne savait comment il mangerait entre décembre et juin » (12). Cependant, la tribu n'a pas subi que les retombées de la colonisation. L'engagement de ses enfants dans le mouvement de libération a entraîné lui aussi d'importantes modifications au niveau de ce fief de l'ancestralité. Des femmes qui ont participé à la révolution parlent de cette période où fleurirent les espoirs les plus fous. Ceux d'une Algérie libérée du joug de l'étranger, mais aussi des contraintes séculaires que faisait peser sur elles l'esprit tribal. Elles ont vu, elles aussi, s'effondrer les frontières qui séparaient les hommes originaires des tribus différentes, mais, mieux encore, celles qui séparaient le monde des hommes de celui des femmes. D'autres valeurs émergèrent et se substituèrent aux anciennes. La plus importante, celle qui les regroupait tous autour de la participation ou non à la guerre de libération, autour de la solidarité ou la trahison de la cause nationale. « Les nouvelles valeurs de la grande famille des maquisards s'imposaient graduellement à la famille tout court, qui subit en quelque sorte un "éclatement" consenti. » « Les rapports entre femmes et hommes de la famille changent : la femme, la jeune fille particulièrement, devient un militant potentiel, et combien de filles, de femmes parfois, ont quitté le foyer familial pour le maquis, sans l'avis de leurs parents, ou avec le consentement implicite de ceux-ci !... »

Par ailleurs, « au fur et à mesure des échecs militaires subis par l'autorité coloniale, le F.N.L. était de plus en

(11) Ibid., p. 223.

(12) Tillion (G.), *L'Afrique bascule vers l'Avenir*, éd. de Minuit, Paris, 1961, p. 43.

plus amené à intervenir dans la vie sociale et juridique des régions où il dominait, souvent appelé à trancher des questions de successions, etc. » (13).

Un embryon de code de la famille naissait. Il était souple, efficace, adapté à la situation nouvelle. Ainsi, dans le maquis, des jeunes gens se rencontraient, s'aimaient, mais ils ne faisaient plus appel à l'autorité des anciens pour officialiser leur relation, c'était le chef de la section qui la légalisait.

Tout était en place pour l'avènement d'une société nouvelle. La société traditionnelle a été détruite de façon systématique ; ce qui en restait, participait dans son ensemble, pour la sauvegarde de la nation. L'encadrement de la population se faisait par des personnes qui semblaient avoir révolutionné leur façon d'être en profondeur et apparaissaient comme des hommes nouveaux, les futurs promoteurs d'une société nouvelle.

L'Algérie libre, le choix d'une société socialiste, autant d'éléments qui vont dans le sens d'une plus grande égalité entre tous les composants de notre société. C'est d'ailleurs ce que nous retrouvons dans les textes. La constitution algérienne du 10 septembre 1963 stipule dans son article 12 que « Tous les citoyens des deux sexes ont les mêmes droits et les mêmes devoirs ». On peut lire également dans la charte nationale que « (...) l'Etat, qui a déjà reconnu à la femme tous les droits politiques, est engagé au service de l'éducation et de la promotion inéluctable de la femme ».

Mais tout se passe comme si ces droits avaient été donnés dans un moment d'euphorie, dans une ambiance de fête, celle de la libération. Et pourquoi n'aurait-on pas libéré la femme ? N'a-t-on pas vu les portes des prisons s'ouvrir et les criminels graciés lors des changements de régime politique, a fortiori des révolutions ?

La fête a cependant comme propriété d'être limitée dans le temps. Nous verrons alors succéder, au plaisir de la rencontre, la gêne des lendemains de fête vécue comme période de licence. Cette gêne va aller en s'accentuant lorsque la femme va persister dans son mouvement d'éman-

---

(13) (K.) - « La guerre de libération et la famille algérienne, la Longue Marche », in Revue *Combattantes de la lutte armée*, n° 1, pp. 46-48.

cipation, en gardant l'un des acquis de la révolution, le dévoilement et en s'engageant, pleine de sa nouvelle assurance, dans la voie de la connaissance et l'édification d'une société socialiste. Mais c'était compter sans « les vieux réflexes bédouins », qui ne peuvent être délogés par des textes, même s'ils émanent de la plus haute instance politique. La femme, la fille reste la propriété du groupe qui, s'il a perdu beaucoup au niveau politique et économique, n'a rien perdu au niveau de ses principes ancestraux, qui sont les seuls déterminants au niveau social, et vis-à-vis de la femme ils restent toujours négatifs. C'est ainsi que les hommes adultes apprennent aux adolescents à combattre systématiquement l'opinion des femmes et à faire preuve de la plus grande méfiance à l'égard de ces « émules du diable » dont l'influence est qualifiée de négative. Un dicton très répandu dans la campagne algérienne n'affirme-t-il pas que « l'ange et l'homme travaillent à l'union, Satan et la femme à la désunion ? » Ainsi apprenait-on aux jeunes à se méfier des femmes qui seraient de par leur nature égoïstes, ennemies de la cohésion tribale. Après l'indépendance on les déclare ennemies de la religion, de l'édification d'une société nouvelle qui doit être l'affaire des hommes. Ainsi s'exprimaient-ils en 1967 dans le journal El-Moudjahid en montrant que les principes qui leur ont été inculqués sont toujours opérants : « Je me permets de vous dire, déclarait l'un d'eux, que la participation de la femme algérienne à l'évolution du pays, c'est la catastrophe pour la religion musulmane, et la trahison du Coran... Je me permets aussi de vous dire que la débauche et la perturbation de l'administration, ça vient justement des femmes. Dans ce cas, il vaut mieux qu'elles restent séquestrées. »

« La femme n'est pas égale à l'homme. Nos masses laborieuses sont profondément musulmanes, traditionalistes et conservatrices ; autrement, où en serait notre religion ?... Notre socialisme repose sur les cinq piliers de l'Islam, et non sur l'évolution de la femme ».

« L'évolution des femmes a été un facteur déterminant dans la dégradation des mœurs islamiques. »

« Doit-on, pour assouvir cette soif de la civilisation, bousculer et traîner dans la boue tout ce qui nous reste encore de plus précieux comme héritage, l'honneur et la religion, ces deux facteurs qui ont toujours fait la gloire des musulmans et contribué à la grandeur de l'Islam ? »

« Le fait d'être soumise à son mari, d'être sérieuse et de sortir voilée n'a jamais empêché la femme... de participer à la vie politique, de travailler... » (14)

L'auteur s'étonne que l'Islam ne soit invoqué que lorsque la femme est en jeu. Que ne l'invoque-t-on pas pour condamner les abandons de famille, l'accroissement des divorces, la prolifération des bars et la prostitution, les trafics de toutes sortes et la corruption ?...

Un autre auteur, qui intitule son article « Fragile virilité », dénonce l'utilisation terroriste de l'Islam dans nos sociétés : « Le fait de se référer à l'Islam est une forme d'intimidation, pour ne pas dire de terrorisme. Or, l'Islam n'a jamais célébré la soumission - l'esclavage - d'un autre être. Certes, il est des textes qui parlent de la suprématie de l'homme sur la femme, mais est-ce une raison pour ne pas respecter les quelques droits que l'Islam donne à la femme, de les interpréter et aussi de les adapter à l'évolution de la société et des mœurs ? » (15)

En 1966, quatre ans après l'indépendance, G. Tillon estime urgente l'écriture de son livre *Le harem et les cousins.* En ethnologue avisée, elle s'est vite aperçue que les structures tribales, qu'elle avait vu s'effondrer sous ses yeux, n'avaient rien perdu de leur vitalité et risquaient d'entraver l'évolution du pays : « La claustration des femmes méditerranéennes, les diverses formes d'aliénation dont elles sont victimes représentent actuellement la plus massive survivance de l'asservissement humain. En outre, elles ne dégradent pas seulement l'être qui en est victime ou celui qui en bénéficie, mais - parce qu'aucune société n'est totalement féminine ou totalement masculine - elles paralysent toute l'évolution sociale et, dans la compétition actuelle des peuples, constituent une cause irréparable de retard pour ceux qui n'ont pas su s'en libérer. Pour toutes ces raisons, il m'a semblé que cela rendrait service *maintenant* d'expliquer ou, pour employer un néologisme à la mode, de « démythifier » le harem » (16).

Vingt ans après l'indépendance, des femmes aussi se

(14) Journal *El Moudjahid*, fév.-mars 1967, in M'Rabet (F.), *op. cit.*, p. 179.
(15) Benjelloun (T.), « Fragile virilité », in journal *Le Monde*, du 18 mai 1982.
(16) Tillion (G.), *op. cit.*, p. 14.

sont trouvées pour la commémorer ; l'une d'elles, ancienne maquisarde, a exprimé en quelques mots une problématique brûlante d'actualité : « Le voile nous l'avons enlevé au maquis et pas aujourd'hui, nous ne pensions pas alors que nos pères allaient nous trahir en continuant à vendre leurs filles, que nos frères allaient continuer à nous mépriser en enfermant leurs sœurs et en leur refusant d'aller à l'école » (17).

L'auteur de l'article va dénoncer le fait que la femme s'est trouvée prise au piège d'un certain nombre de discours, au détriment d'un véritable intérêt porté sur sa réalité. Elle en énumère trois : un discours mythique très valorisant, lié à sa participation à la guerre de libération, un discours mystificateur, du genre : « l'émancipation de la femme passe par l'édification nationale », mais sans prévoir les moyens, ni les étapes nécessaires à cette émancipation, et enfin un discours de « rejet », par ses références aux conceptions les plus réactionnaires de l'Islam.

Toujours à l'occasion de cette date anniversaire, une autre femme, Souad Khodja, dans son article « Les femmes musulmanes algériennes et le développement », revendique le droit à la simple considération et au respect qu'exige n'importe quel être humain : « Sujet tabou, problème refoulé qui hante la société algérienne dans ses cauchemars quotidiens, conflit dont les manifestations névrotiques rendent intolérable la vie en Algérie, le statut et le rôle de la femme dans le développement restent aujourd'hui encore à définir. Et pourtant, la situation avilissante de la femme est devenue tellement insupportable qu'elle pose le problème du droit à la simple considération que peut exiger n'importe quel être humain ! Révélation des ambiguïtés et des compromis sociaux, le refus de poser franchement, courageusement le problème des femmes en Algérie, désigne à lui seul le refus d'opter définitivement pour un type précis de société » (18). Cette hésitation à se définir apparaît dans toute sa clarté dans les difficultés que montre le gouvernement à élaborer un code de la famille, qui soit

---

(17) Benabdessadok (C.), « Synthèse des écrits sur la femme et la lutte armée », in Revue *Combattantes*, *op. cit.*, p. 51.
(18) Khodja (S.), « Les femmes musulmanes algériennes et le développement », in *Le Maghreb musulman en 1979*, éd. du C.N.R.S., Paris 1981, pp. 123-134.

à l'image progressiste qu'il donne de lui-même dans les autres domaines, et qu'exprime l'un de ses dirigeants lors d'une interview : « Nous avons créé en dix ans un million d'emplois. Le chômage chez nous ne constitue pas un problème grave. Il y a au moins un emploi par famille. Nous avons surtout appris à oser, à créer, à aller de l'avant, sauf en ce qui concerne la femme car, qu'est-ce, enfin, que ce socialisme qui maintient dans un état de dépendance et de subordination la moitié de la population : les femmes cloîtrées, voilées, réduites à l'état de reproductrices » (20).

C'est « la peur de voir la fille, la sœur ou l'épouse disposer de leur vie, de leur avenir et surtout de leur corps » (21). Ceci explique l'attentisme des autorités officielles, face à la montée de l'intégrisme et aux agissements des Frères musulmans, dont l'un des buts déclarés est la mise à l'écart de la femme. Ainsi, ils les laissent se charger d'une besogne dont s'accommode mal leur image de marque. Il est coutumier d'entendre dire par ceux qui vivent cette période charnière de l'Algérie d'après-guerre, qu'ils sont une génération sacrifiée. Ils traduisent, par là, leur malaise et leurs difficultés à vivre des exigences contradictoires qui émanent de la société dans son ensemble. Ces contradictions touchent aussi bien les hommes que les femmes, mais plus particulièrement ces dernières lorsqu'elles ont un statut non traditionnel. Elles ont à assumer deux personnages antithétiques : actives et responsables dans leur travail ou leurs études, confinées et soumises dans les autres sphères de leur existence. Entre vie domestique et lieux publics, nous les voyons se débattre avec cette réalité parfois à la limite de l'absurde. Le voile, que nous avons utilisé comme analyseur, va l'illustrer. Voilée ou dévoilée ? Voilée et dévoilée ? Une question qui revient souvent, un choix qui n'est pas simple, lorsqu'il engage toute une famille en dehors de laquelle il n'existe aucune alternative, mais également une personnalité fragilisée par une éducation dont le but principal est

---

(19) Junka (D.), « L'Algérie : à marche forcée vers l'indépendance », in Revue *Croissance des jeunes nations*, n° 266, mars 1981.
(20) Ibid.
(21) Benjelloun (T.), Ibid.

d'inculquer très tôt à la petite fille qu'elle est le négatif du garçon. S'il est la lumière, elle est l'ombre, s'il est l'éclat, elle est le silence, s'il est la vie, elle est la mémoire. Lorsque l'être sans corps, sans paroles, sans histoire commence à vivre pour soi, il est certainement le signe précurseur d'un nouveau monde.

UN PETIT SONDAGE SUR LE TERRAIN

L'enquête que j'ai menée n'a pas pour but d'évaluer l'importance du dévoilement ; une telle entreprise aurait nécessité une analyse statistique. Mais rien n'est plus aléatoire, à mon avis, que de mesurer quelque chose d'aussi fluctuant ! La plupart des femmes qui se disent dévoilées utilisent très souvent le voile à un certain nombre d'occasions. Celles qui sont voilées se dévoilent aussi, pour d'autres raisons que les premières.

Il m'a semblé qu'il était plus important pour le moment d'analyser la fonction psychologique et sociale du voile, que de présenter le dévoilement comme un acquis sur lequel on peut déjà tirer quelques conclusions. D'autre part, la réalité serait là pour les infirmer. Car plus de vingt ans après l'indépendance, les jeunes filles continuent à porter le voile, malgré le fait qu'elles soient étudiantes ou travailleuses, et à plus forte raison si elles n'ont aucune fonction sociale. Pour ces différentes raisons, je préfère parler de processus de dévoilement dans le même sens que processus de maturation. Ce n'est pas quelque chose qui se fait du jour au lendemain, mais procède par étape, par aller et retour. On peut même dire que la femme algérienne s'essaye au dévoilement. Ces aller et retour, voilement-dévoilement sont une étape nécessaire avant l'avènement de la femme dévoilée, un prélude au dévoilement total. J'ai fait cette enquête à Mostaganem, ville portuaire de moyenne importance, présentant les caractéristiques que je décrivais dans le chapitre précédent sur la famille algérienne. Sa position géographique fait d'elle une ville ouverte à l'immigration ; ainsi nous retrouvons des populations d'origines diverses, telles que les Arabes, les Berbères et les Kouloughlis. Mais, c'est aussi un fief de la tradition, chaque famille veille jalousement sur la pureté de son sang par un contrôle sévère au niveau des mariages qui ne se font qu'entre consanguins ou familles occupant un rang social équivalent. J'ai pensé dans un premier temps faire cette enquête uniquement auprès des femmes dont la moyenne d'âge se situe entre 25 et 30 ans, celles qui se trouvent à la charnière de deux mondes, celui d'avant-guerre et celui d'après-guerre. Elles avaient donc 5 et 10 ans à l'indépendance. Elles ont pu bénéficier des ouvertures de l'époque d'après-guerre en poursuivant leur scolarité au-delà du secondaire ; et retarder le moment du voilement définitif ou bien rester dévoilées et porter le voile occasionnellement. Cependant, les hasards de la recherche m'ont fait reconsidérer la première intention, lorsque j'ai remarqué que par la question du voile, les hommes aussi sont concernés ; pas uniquement au niveau de sa dimension sociale mais aussi psychologique. Aussi, ai-je interviewé un certain nombre d'entre eux au même titre que les femmes.

Nous avons vu, dans les chapitres précédents, que le voile était d'abord la chose de la société, le signe de sa volonté « de ne pas changer », de ne pas s'ouvrir aux étrangers et de leur opposer une façade uniforme sur laquelle leurs critiques ne peuvent avoir prise. Le voile dans son uniformité tend, lui aussi, vers cette finalité. Mais nous verrons que ce qu'il recouvre échappe à cette volonté. Lorsque la femme le porte, il devient sa chose. Elle arrive à imprimer sa marque, à faire passer quelque chose de son désir à travers sa façon de se voiler.

J'interrogerai ceux qui se situent de l'autre côté du voile et ce qu'ils perçoivent du message qui est émis par les femmes voilées. Le reçoivent-ils ? Arrivent-ils à décoder le sens ? Ou bien le voile fonctionne-t-il uniquement comme écran sur lequel ils vont projeter leurs émois sans tenir compte de la personne qui est derrière et confirmer ainsi la coupure des deux mondes ?

J'ai limité ce sondage à six entretiens avec trois femmes et trois hommes. Cet exposé pourrait paraître insuffisant pour rendre compte de la fonction psychologique du voile. Mais il me semble que l'on aurait recueilli cent entretiens, j'aurais eu cent cas particuliers. Ceci témoigne de la vivacité du monde qu'il recouvre. Il ne peut être réduit à l'état où l'on veut qu'il soit. Chacune sous son voile se débat avec sa réalité psychologique qui est unique, et va donc l'intégrer en fonction de cette réalité.

Les entretiens que je vais maintenant relater ont pour but de faire apparaître la fonction sociale du voile à travers les deux premières questions :

1) Que représente pour toi le fait d'être voilée ?

2) Est-ce que tu as été tentée de l'enlever ?

Pour les hommes, j'ai essayé, autant que faire se peut, de garder le même sens aux questions :

1) Que représente pour toi la femme voilée ?

2) Que représente pour toi celle qui essaye de l'enlever ?

Dans un deuxième temps, j'ai essayé d'approcher la dimension psychologique, en orientant les questions vers le corps que le voile est censé cacher.

3) Que représente le voile par rapport
- à l'image de ton corps ?
- est-ce que tu as porté le voile pour ressembler à ta mère ?

Ces dernières questions ont été condensées de la façon suivante pour les hommes :

3) Que représente le voile par rapport
- à l'image du corps de la femme ?
- à l'image du corps de ta propre mère ?

J'essaierai à la fin de chaque entretien de faire ressortir les idées socialement significatives, puis je ferai une analyse, aussi approfondie que me le permettra le matériel, de la fonction qu'occupe le voile dans l'économie psychique de l'individu.

Entretien n° 1

Djamila, âgée de vingt-huit ans, est issue d'une grande famille Kouloughli qui, si elle a perdu les fastes d'avant-guerre, a gardé tout son snobisme.

Djamila est une institutrice très estimée dans le milieu scolaire pour ses qualités d'enseignante en arabe, bien que parfaitement bilingue.

Ce que représente pour elle le fait d'être voilée ?

Ça m'énerve. Pourquoi être couverte ? Pourquoi cacher ma beauté ? Je suis très coquette et j'aime le montrer.

Voilée ? Ça attire des ennuis, ça attire les hommes. C'est ennuyeux pour eux, car ils cherchent à tout prix à savoir ce qu'il y a derrière ce voile. Surtout que souvent ils ne sont même pas intéressants, parce que trop jeunes, ou trop vieux, ou pas du même niveau intellectuel ou social.

J'aurais été dévoilée, ils sauraient à qui ils ont affaire. J'ai des problèmes même dans mon quartier, lorsque je me voile. Si j'étais dévoilée, ils sauraient que je suis la fille de telle grande famille. Je pourrais être l'institutrice de leur enfant, ou de leur frère ou sœur. Je pense qu'ils seraient plus respectueux. Cela éviterait aussi des erreurs qui pourraient être assez graves. Tiens, l'exemple d'un jeune homme qui a suivi sa sœur. Elle l'a reconnu et l'a laissé faire jusqu'à l'entrée de leur maison, puis elle s'est tournée vers lui et a découvert son visage. Il a été choqué et est resté malade pendant un mois. C'est un étudiant.

Le voile est aussi une habitude, dans la mesure où on le porte très tôt, et ça devient difficile de se dévoiler, même avec la permission de son mari, dans la ville où l'on a sa famille et beaucoup de gens qui nous connaissent. Mais à quelques kilomètres de chez moi ou dans une autre ville que la mienne, je me dévoile très facilement, puisque personne ne me connaît. Dans ma ville, lorsqu'il m'arrive de me dévoiler, ce qui est très pénible à supporter, c'est le regard accusateur, plein de reproches, culpabilisant des cousins, des frères, des parents, parce que pour eux, si je me dévoile, c'est pour la débauche. Le voile protège contre ça. Le mariage changera tout, puisque je ne dépendrai plus que de mon mari. S'il me veut dévoilée, personne n'aura à redire. Maintenant je suis sous la tutelle familiale, que je perçois comme une masse. Tous commandent, ma mère, ma grand-mère, mes oncles, mes frères...

Le voile, ce n'est en fait qu'un écran derrière lequel se passent énormément de choses. Il nous rend service quand on ne veut pas être reconnue pour faire les magasins, le marché, les sorcelleries, aller voir son amant. Ainsi, même celle qui est toujours dévoilée va avoir recours au voile pour faire ces choses-là.

Est-elle tentée de l'enlever ?

Beaucoup. Parce que je suis coquette, il voile ma beauté, alors que j'ai envie de la montrer, mais je pense que je ne l'enlèverai jamais définitivement, pour l'utiliser au moment opportun. Tu sais, le voile est très excitant et attirant, et celle qui sait très bien se voiler peut faire des ravages dans les cœurs. Certaines professionnelles du voile, même laides, en se drapant d'une certaine façon, se donnent une très belle allure et attirent énormément.

Me voiler pour ressembler à ma mère ?

Non, elle est d'une génération, moi je suis d'une autre. Elle ne représente pas pour moi un modèle d'identification à ce niveau. A un autre ... oui, faire la cuisine comme elle, avoir sa patience, sa force de caractère, son « chic ». Mais le voile, non, ça ne m'effleure pas.

Commentaire :

Le voile pour Djamila, qui est effectivement très jolie, est une source d'ennuis. Cela l'ennuie de ne pas jouir au grand jour de sa jeunesse et de sa beauté, de rester cachée, alors qu'elle est si dynamique. Cela l'ennuie de refréner son impatience de vivre sous le voile, derrière les façades bien lisses de leur maison, ainsi que les fenêtres bien closes, mais truffées de petits trous par lesquels elle peut voir sans être vue. Il faut quand même faire très attention. A Mostaganem, tout se sait facilement, et il ne faut surtout pas déshonorer la famille. Car alors les conséquences pourraient être très graves ; son frère et son père ne plaisantent pas avec l'honneur. Alors elle tourne dans sa chambre comme une lionne en cage.

Le voile a un autre côté fâcheux, par le flou qu'il jette sur son identité, son âge, son niveau intellectuel, son appartenance sociale. Ainsi, des « trop vieux », comme de « très jeunes », peuvent la suivre, et le fait qu'elle associe sur l'anecdote du frère qui a suivi sa sœur montre que le risque d'inceste est présent à l'esprit. Ces très vieux peuvent représenter le père, comme les très jeunes, le frère. Très souvent des femmes excédées par les avances des hommes se tournent brutalement vers eux et, s'ils sont très vieux, elles leur disent : « Est-ce que tu n'as pas honte, tu pourrais avoir l'âge de mon père. » Lorsque le « pisteur » est très jeune, elles lui disent : « Tu pourrais être mon fils. » Mais, en général, cela ne les décourage pas pour autant.

Mais si le voile est très ennuyeux pour ces différentes raisons, Djamila ne l'enlève pas pour autant dans sa ville natale. Car se voiler, c'est d'abord pour préserver l'honneur de sa propre famille. Elle se voile donc très convenablement dans la ville où tous la connaissent, même si elle est accompagnée par son mari. Par contre, elle s'en débarrasse très facilement à quelques kilomètres seulement de chez elle, que ce soit dans le village à côté ou a fortiori dans la grande ville anonyme.

A première vue, cela semble paradoxal de se voiler devant des gens qui l'ont vue naître et grandir, qu'elle côtoie journellement à la maison, car il n'y a pas de doute, le voile est porté surtout par rapport aux parents, pour éviter « ce regard accusateur ». En fait, l'agressivité qu'elle déclenche chez sa parenté mâle, lorsqu'elle sort dévoilée, est liée au sentiment intolérable qu'elle fait naître en eux et qui est celui d'assister passivement au viol fantasmatique de leur sœur ou fille, par ces milliers de regards qui fouillent son corps, ou de participer à ce viol collectif, ce qui est encore plus insupportable. Le voile vient donc protéger le père et sa fille du regard de l'autre, qui réintroduit le désir jusque-là refoulé. Ceci n'est pas le propre de notre société. Freud relate un certain nombre de prohibitions dans différentes sociétés, dont le but est d'éviter le risque de l'inceste. Elles rappellent étrangement les nôtres ; ainsi, « chez les Akamba (ou Wakamba) de l'Est africain anglais, il existe une prohibition qu'on s'attendrait à trouver plus fréquemment. Pendant la période comprise entre la puberté et le mariage, une jeune fille doit obstinément éviter son père. Elle se cache lorsqu'elle le rencontre dans la rue, ne cherche jamais à s'asseoir à côté de lui et se comporte ainsi jusqu'aux fiançailles. A partir du jour où elle est mariée, les rapports entre elle et le père deviennent plus libres » (1).

En ce qui nous concerne, même après le mariage, les rapports père-fille restent toujours empreints d'un certain respect. Par contre, ce qui est sûr, c'est le soulagement réel du père qui arrive à marier ses filles et se libérer ainsi de ce lourd fardeau dont il est difficile de faire la part du social et du psychologique.

En effet, le groupe est aussi partie prenante et se sent menacé par les velléités d'indépendance de la jeune fille. Elle risque de porter atteinte à son honneur. C'est pour cela que tous réagissent et se sentent concernés, parce que, s'il y a faute, ils seront tous également touchés.

Djamila parle à nouveau de son désir d'enlever le voile, parce qu'elle se trouve belle et coquette, mais cela semble

---

(1) Freud (S.), *Totem et tabou*, Payot, Paris, 1984, pp. 21-22.

puéril. Elle sait que c'est une revendication qui ne peut aboutir dans sa ville natale, face à la masse que représente sa famille. Alors elle se dégage de cette impression pénible en parlant de tout ce qu'elle peut faire sous le voile, qui devient pour elle un instrument de toute-puissance et de séduction. Grâce à lui, mystérieuse, elle peut faire des ravages dans les cœurs des hommes. Elle peut aller voir le sorcier pour renforcer sa toute-puissance, sortir, rencontrer ses amants, enfin tout faire, librement, mais sous le voile.

Quant à porter le voile à l'image de la mère, non ! Djamila lui emprunterait tout, sauf cela. Or, le voile est partie prenante de cette personnalité complexe qu'elle évoque. Sans le voile, le chic de sa mère n'existe plus. Le corps, majestueux et généreux sous des vêtements amples, est mal à l'aise et emprunté sous des vêtements étriqués, occidentaux.

La patience, qui est une attitude faite de réserve et de retrait, est contraire à celle qu'impose une vie active à l'extérieur.

Enfin, le voile encore une fois est un élément d'une chaîne dont le déplacement ou le rejet modifiera nécessairement l'ensemble.

Entretien n° 2

Fahima, 30 ans, directrice d'école.

Sa mère est d'origine mostaganémoise depuis plusieurs générations et tient à ce que les traditions soient respectées, entre autres, le port du voile. Son père, par contre, était beaucoup moins exigeant. Parce que originaire d'une autre ville, il se sentait moins concerné par la pression sociale, mais il est mort.

J'utilise le voile soit pour passer inaperçue, soit lorsque je n'ai pas le temps de m'habiller. C'est vers l'âge de 17 ans que j'ai été voilée. C'est mon père qui me l'a dit, mais c'est ma mère qui l'a poussé, elle est très mostaganémoise (dans le sens de traditionnelle). Pour elle, c'est une honte d'avoir une grande fille dévoilée qu'on peut voir. La honte est ressentie devant la famille (la grande famille), les voisins, les connaissances. Il ne faut pas que ceux qui me connaissent, puissent me voir dévoilée dehors. Ma sœur est enseignante, elle porte aussi le voile, parce que ma mère a pu l'influencer. Moi, j'ai porté le voile de 17 à 21 ans, puis je l'ai quitté après la mort de mon père, puisque je suis devenue en quelque sorte le chef de famille, étant l'aînée. Ça a causé beaucoup de peine à ma mère. Elle a même pleuré, en me disant que « les gens vont dire qu'elle s'est libérée après la mort de son père ». Et pourtant, quand mon père était malade, c'est moi qui m'occupais de lui. Je me déplaçais beaucoup avec lui pour ses soins. Souvent, il me disait, « rejette ton voile, tu as une responsabilité, tu es un homme ». Maintenant, c'est moi qui joue le rôle de chef de famille, puisque pendant longtemps j'étais la seule à travailler pour tous. Je les habillais, je les nourrissais, mais lorsque je me comportais en femme et m'habillais pour une sortie, ma mère exigeait de moi que je porte le voile. Il faut aussi que je porte le voile pour aller au cimetière et pour rendre visite à mes oncles.

Depuis la mort de mon père, et ma progression sur le plan professionnel, j'ai l'impression d'être totalement identifiée à un chef de famille. Il est de mon devoir d'équiper, d'habiller et même d'acheter des bijoux à ma mère, mais il ne lui vient jamais à l'esprit de me remercier. C'est un devoir, cela va de soi.

Je ne sens pas que j'ai ma place ici. J'ai équipé pratiquement toute la maison. Je vais bientôt avoir un logement de fonction. Mais ma mère refuse que j'emporte quoi que ce soit, ce que j'ai acheté appartient à tous. Si je pars, je laisse tout. Elle me considère effectivement comme un homme. Elle ne me demande même pas de faire le ménage. C'est ma sœur qui le fait, celle avec laquelle elle s'entend et discute souvent. Elles parlent très peu avec moi.

Ce que représente le voile par rapport à l'image de mon corps ?

Je ne sais pas, je n'ai jamais pensé à ça. Je me voile n'importe comment. Visage découvert ou non, ça ne me dérange pas. Pourtant, j'ai vu certaines femmes prendre tout leur temps pour draper le voile sur leur corps. Alors que moi, je le mets n'importe comment et, la plupart du temps, je mets le voile lorsque je n'ai pas le temps de m'habiller.

Je voulais sûrement ressembler à ma mère quand j'étais toute petite, puisque souvent avec mes petites copines, on jouait à la dînette, on se voilait et on se rendait visite mutuellement.

Commentaire :

Dans cette famille, la gardienne de la tradition, c'est la mère, ce qui n'a rien de surprenant, puisque c'est le cas dans toutes les familles. En plus, elle veille à son application, puisque le père arrive difficilement à en être le garant. Il est étranger, donc moins concerné par les coutumes mostaganémoises. D'autre part, il est amoindri par la maladie.

Fahima est l'aînée et travaillait déjà lorsque son père était vivant. C'est elle qui se déplaçait avec lui pour ses soins, rencontrait les médecins, achetait les médicaments, aussi son père lui a attribué le statut d'un homme, puisqu'elle en assurait le rôle et, ainsi, il l'a dispensé de porter le voile.

A la mort de son père, elle est la seule à travailler et devient de fait le chef de la famille. Sa mère lui attribue aussi le statut d'homme, mais seulement lorsqu'elle en assure la fonction. Dès qu'elle a un comportement féminin, elle exige d'elle qu'elle se voile. Il en est de même lorsqu'elle doit rendre visite à ses oncles et aller au cimetière. Elle doit s'acquitter de ce genre d'obligation dans une tenue traditionnelle.

Sa mère insiste sur la « honte d'avoir une grande fille dévoilée ». Sa pression est constante. Elle a parfaitement intériorisé le statut accordé par la société à la femme. Elle a d'autre part une idée très claire de ce que doit être la conduite d'une femme mostaganémoise, encore plus voilée, plus effacée, plus réservée que l'Oranaise, par exemple. Il n'est pas dans son intention de déroger à la règle car elle en connaît le prix, qui est l'exclusion du milieu. La mère oblige donc la fille à faire une sorte d'allégeance au groupe, en continuant à se voiler. C'est une façon de mettre en évidence le fait qu'elle adhère toujours aux normes du groupe, malgré le travail qui est une nécessité vitale.

Il semble que pour Fahima, cet entretien ait été l'occasion d'une prise de conscience de la situation qui est la sienne chez elle, du statut d'homme dont elle s'est trouvée investie, des exigences dont elle est l'objet, des tâches féminines dont elle est écartée. Ainsi, on n'exige pas d'elle de participer aux tâches ménagères. Sa mère et sa sœur ne parlent pas avec elle de sujets typiquement féminins. Elle se sent mise à l'écart, comme si elle n'avait pas sa place dans ce monde, exclusivement féminin, qui est la maison. Mais elle n'a pas non plus sa place à l'extérieur, qui est le monde des hommes. Le voile, elle ne peut pas l'investir, comme le font certaines femmes, étant donné son évolution sur le plan intellectuel. Il a uniquement une fonction utilitaire. Il lui sert seulement quand elle est pressée, et encore, elle le porte sans aucune recherche, contrairement à d'autres. Pourtant, toute petite, elle a souvent joué, avec ses petites camarades, à se voiler comme sa mère. Elle rappelle par là que l'identification à ce qu'elle percevait de la féminité de sa mère a eu lieu, mais qu'elle a évolué parallèlement à son évolution générale.

Le problème réside dans le fait qu'elle est devenue le lieu de la coupure entre le monde des hommes et celui des femmes. Elle vit, à la fois, la situation de la femme traditionnelle, sans adhérer aux traditions, et la situation de l'homme, sans ses avantages. Active et responsable dans son lieu de travail, elle redevient effacée dans les lieux publics, et soumise dans la vie domestique. Elle vit assez difficilement ce clivage qui semble servir la société et les parents. Cela leur permet de ne pas être confrontés à la réalité du dévoilement de leur fille. Lorsqu'elle travaille, elle est un homme. Or, un homme ne se dévoile pas, puisqu'il l'a toujours été. Dès qu'elle réintègre le monde des femmes, elle en adopte les attitudes et la principale, c'est d'être voilée. Ainsi, l'honneur et la tradition sont saufs, et le conflit étouffé dans l'œuf. Tout est comme avant à peu de chose près.

Entretien n° 3

Saïda, 27 ans, professeur dans un collège d'enseignement moyen, est, elle aussi, issue d'une grande famille qui tient à ses traditions et à son image de marque dans la ville.

Ce que représente pour elle le fait d'être voilée ?

L'anonymat total. Je peux côtoyer tout le monde, tous les milieux sans gêne. Je suis comme un grain de sable, rien ne me différencie des autres.

Le voile est une protection totale, contre les regards qui détaillent, qui déshabillent, qui scrutent, qui vous poursuivent, qui cherchent à vous situer. A quelle famille appartient-elle ? Que fait-elle ? Où va-t-elle ? C'est un regard qui vous colle, qui vous viole. Lorsque je suis dévoilée, je sens mon corps se contracter, je remonte mes épaules, je serre les poings, mon visage se ferme, devient sévère, mon regard se fixe sur un point lointain et ne s'attarde sur aucun passant, encore moins sur un regard. Ce que je lis dans ce regard brillant au-delà de la violation de mon corps, c'est la violation de mon être. Toute frontière est abolie, mon seul recours dans ma ville reste alors le voile. Ce n'est pourtant qu'un morceau de tissu, mais mon corps est détendu, ma peau est libre et c'est moi qui regarde en toute liberté. C'est l'autre qui interroge, qui est torturé par ce qui se cache derrière le voile. Il court, il fantasme, il rêve et tente de me séduire, de m'arracher le voile. Ma seule gêne, c'est lorsque je rencontre mon père, même sous le voile, mon corps se contracte, je baisse les yeux et accélère le pas.

Le voile, s'il me protège, il est une faiblesse. Il m'interdit toute intervention, toute parole, puisqu'il implique justement le fait de ne pas être reconnue. Le voile, s'il me donne quelques libertés de mouvement dans le sens d'un déplacement, d'une circulation dans un domaine qui est celui des hommes, c'est seulement à condition que je le fasse en toute discrétion, sans éclat, en sachant que ce n'est pas mon espace.

Le voile fait naître en moi parfois une impression étrange de négation, de repli, comme si j'étais dans un œuf, à l'intérieur de la coquille. Je côtoie les autres sans qu'ils m'atteignent. Je les perçois sans qu'ils me voient. Je ne participe pas de manière effective à l'organisation du monde extérieur, invisible, clandestine. Ce sentiment s'accompagne d'un certain plaisir - degré zéro - le blanc, mon voile est blanc, un écran total.

Si j'étais tentée de l'enlever ?

A plusieurs reprises même, mais c'était chaque fois un rapport de forces entre mon père et moi. Ma mère, ne sachant prendre aucune décision me concernant, se rangeait du côté de mon père. C'était probablement parce qu'elle en avait peur. Mais je l'enlève pour aller travailler, lorsque je vais à Oran ou d'autres villes. Je me voile uniquement à Mostaganem, pour ne pas porter atteinte à l'honneur de la famille. C'est pour les gens qui connaissent ma famille ; pour qu'ils n'aient pas à dire : nous avons vu la fille d'un tel, dévoilée.

Le voile par rapport à l'image de mon corps ?

Dans ma ville, mon corps sans le voile me gêne, parce que je sens qu'il ne m'appartient pas. Tous ces regards qui le détaillent, lui donnent une présence qui est intolérable. Je préfère être voilée, mais dès que je suis à quelques kilomètres de ma ville, je me sens plus libre, débarrassée de cette contrainte, même si on me fait les mêmes remarques. La contrainte doit venir de la présence de ma famille.

Quant à ressembler à ma mère, non. Elle est trop gentille, trop effacée et elle a toujours été écrasée.

Commentaire :

La première impression qui vient à l'esprit de Saïda, concernant le fait d'être voilée, est un anonymat total, accepté et même recherché. Elle donne l'impression d'avoir un certain plaisir à vivre cette indifférenciation. « Je suis comme un grain de sable », parmi d'autres. Mais ceci n'est possible que grâce au voile, qui la protège du regard de l'autre. Celui-ci est vécu comme une effraction, un viol de son être contre lequel elle mobilise toutes ses défenses.

Cela semble évoquer, en elle, un sentiment beaucoup plus archaïque qu'une atteinte d'ordre sexuel. Ce regard viendrait porter atteinte à cette enveloppe de son être, à cette limite entre soi et les autres. Le voile ici va donc servir à renforcer cette enveloppe corporelle fragile ou fragilisée par l'intensité du regard. « Mon seul recours *dans ma ville* reste alors le voile. Ce n'est pourtant qu'un morceau de tissu, mais mon corps est détendu, ma peau est libre. » C'est l'occasion pour elle de faire vivre à l'autre la torture du regard. Elle ne devient que regard. Regard anonyme, puisque la voix, comme le corps, sont interdits de cité, et c'est elle qui, quelque part, viole quelqu'un ou transgresse un interdit. Sa rencontre avec son père précise la nature de cette transgression. Il s'agit en l'occurrence de l'interdit de l'inceste. D'où le fait qu'elle baisse les yeux et s'enfuit, tant est insoutenable la rencontre avec la réalité du désir. Nous retrouvons, ici, les comportements d'évitements décrits par S. Freud dans son chapitre sur l'interdit de l'inceste (« Totem et tabou ») dans les sociétés primitives.

Même si le voile est dénoncé comme le signe d'une infériorité et d'une mise à l'écart de la vie sociale, cette dénonciation n'arrive pas à prendre le poids d'une revendication ferme, d'un désir réel d'émergence et de confrontation de l'autre dans la réalité. Car justement le voile semble remplir une certaine fonction, il entre en résonance avec une tendance à la régression, qui s'accompagne d'un certain plaisir. C'est « comme si j'étais dans un œuf ».

Le voile, ici, c'est le père qui l'impose. On arrive difficilement à percevoir la mère. Elle n'est pas ancrée dans la tradition. Elle n'est pas le support de la fille en direction du père. Elle en a peur et n'arrive pas à jouer ce rôle tampon entre le père et la fille.

Quant à l'image du corps, elle varie selon les lieux. Le corps prend donc une consistance, une présence qui confine à l'étrange. Par contre, dans une ville étrangère, c'est-à-dire où il n'y a pas de parents, les mêmes regards ne produisent pas les mêmes effets.

Ne pas porter le voile pour ne pas ressembler à sa mère ?

Saïda rejette cette image. Ce rejet d'une identification à une mère traditionnelle, qu'on retrouve aussi dans les deux premiers entretiens, est lié à une conjoncture sociale qui offre, malgré tout, plus de possibilités d'émancipation à la femme par l'intermédiaire des études et du travail. Il reste néanmoins que le dévoilement dans la ville natale est une expérience difficile à réaliser pour la plupart. Le principal obstacle n'est pas tant le manque de respect de l'étranger, mais plutôt le risque de rencontrer sa parenté mâle sans la protection du voile, dans un espace profane, impur à cause de la promiscuité qui y règne, par opposition à l'espace sacré de la maison. L'espace de la règle où les comportements sont codifiés et les lieux bien délimités.

A partir des entretiens faits auprès des femmes, quelques remarques s'imposent. Contrairement aux hommes, elles ont toutes mis en avant leur appartenance familiale « noble », cette première couverture, ce premier voile de la femme. On peut comprendre dès lors leurs difficultés à se dégager du substitut, le voile en tissu.

L'espace de la ville natale est très chargé affectivement pour Djamila et Saïda, à cause du risque d'y rencontrer le père, d'où la nécessité de porter le voile. Cette nécessité est beaucoup moins présente chez Fahima dont le père est originaire d'une autre ville. C'est la mère qui doit lui imposer de se voiler, mais cela reste sans portée pour Fahima qui le met sans conviction et sans coquetterie. Alors que pour les deux autres, la contrainte semble être intériorisée au même titre que l'interdit de l'inceste.

Cependant, l'expérience du voilement et du dévoilement est vécue différemment par les trois femmes ; ainsi, Djamila va détourner la finalité du voile, qui est l'anonymat, et en faire un instrument de séduction. Il va évoquer ce qu'il est censé cacher. Ne pouvant se donner à voir, elle va suggérer.

Pour Saïda, le voile est en premier lieu une protection du regard. Elle va l'utiliser comme une seconde peau pour se protéger contre cette myriade d'yeux qui lui collent à la peau et, au-delà de son corps, violent son être.

Le voilement et le dévoilement vécus par Fahima pour des raisons plus impérieuses vont lui poser des problèmes au niveau de son identité sexuée. Elle est un homme lorsqu'elle assume des fonctions de responsabilité, elle redevient femme lorsqu'elle rejoint les circuits féminins. Elle est un homme lorsqu'elle va travailler, elle redevient femme et donc voilée, effacée, lorsqu'elle doit sortir sans les buts précités (travail, etc.).

Entretien n° 4

Farid, 30 ans, architecte.

Ce que représente pour lui la femme voilée ?

Elle crée une ambiance sexuelle, je dirais même un climat sexuel. Dehors, lorsqu'on est en groupe, le passage d'une femme voilée, qu'elle soit jeune ou vieille, mère de famille avec un enfant dans les bras, rien ne fait barrage. Quand en plus la femme est totalement voilée, c'est-à-dire qu'elle n'a qu'un œil pour la guider, elle est terriblement attirante.

Dehors, l'homme prend sa revanche sur le monde intérieur, le monde féminin, par rapport à la promiscuité, qui exige tant de défenses et de mises en garde. A l'extérieur, l'homme n'est plus le même. Il est chez lui et donne libre cours à ses fantasmes, à son imagination, et le père le plus respectueux et le plus intraitable chez lui se comporte comme n'importe quel coureur. Chacun met en évidence ce qui lui apparaît le plus attirant, ce qui va appâter dans le sens d'un appât, soit en faisant sonner l'argent de ses poches, soit en prenant des positions avantageuses s'il a un beau physique, soit en exhibant sa belle voiture, qui est donc le symbole de son avoir en même temps que promesse d'évasion. Le regard est lourd, la demande est très chargée d'un désir qui n'est médiatisé par aucune autre possibilité de rencontre. Le regard suit, voyeurisme. Le regard poursuit la silhouette voilée, insiste sur les courbes. On ne veut rien savoir des détails, on ne veut retenir que ces courbes que le voile drape et cette chute, ce retombé du voile. Mais ça peut donner lieu à de graves méprises, ce qui m'est arrivé personnellement. J'étais devant chez moi, lorsque j'ai vu de loin une silhouette élancée et bien drapée dans un voile, la démarche assurée, et qui, en plus, se dirige vers moi. Je fantasme très fort et ne crois pas à ma chance, c'était trop beau. Mais la femme se plante devant moi et découvre son visage, c'était ma mère.

Le regard de l'autre est perçu comme étant chaud et lourd de promesses.

La femme est fluide, fuyante, difficile à cerner. L'homme est plus compact, plus dur (il serre le poing pour souligner le mot). La femme a besoin d'un mâle, d'un roc, pour la protéger. Il faut s'adresser à elle durement ; ne pas rire trop souvent avec elle, ne pas trop discuter, pour ne pas fausser l'image qu'elle a de l'homme. Le silence, le regard dur, les brusques volte-face sans explication, doivent être les réponses à ses sondages. Il faut être vigilant pour ne pas laisser la femme avoir prise sur nous, sinon on n'est plus qu'une pâte molle entre ses mains. Il faut que l'homme se montre insaisissable, déroutant au niveau du comportement de tous les jours, en ayant de brusques colères, des attitudes très dures, pour ne pas perdre le terrain. Ne pas comprendre, ne pas chercher à comprendre, ceci en référence à des critères bien établis qui sont : « Ne pas ouvrir l'œil à la femme », dans le sens de ne pas élargir son champ d'expérimentation, ne pas lui donner la possibilité d'établir des points de comparaison, par la rencontre avec d'autres hommes ou même avec d'autres femmes. Il faut réduire ses déplacements, son espace. Chez certaines, il le sera à tel point, qu'il se limitera à la maison de son mari, avec de rares visites chez ses parents.

Sur le plan sexuel, il est recommandé de faire ça de façon très puritaine, presque en jetant le voile dessus. Il faut surtout ne pas donner le goût de la jouissance à sa femme. Il faut réduire le rythme, car ses capacités sont dites illimitées, et le jour où on ne pourra plus les satisfaire, elle risque d'avoir recours à un autre. Ceci, je l'ai appris auprès de vieux expérimentés. Très jeune, j'aimais me glisser entre eux et les écouter parler de leurs expériences auprès des femmes, ainsi que ce qu'il convient de faire dans telle ou telle situation.

La femme qui se dévoile ?

Elle m'intéresse beaucoup moins. Si ma femme est dévoilée, je lui demanderai de se voiler à certains moments, pour recréer ce climat dont je parlais au début.

Commentaire :

L'entretien de Farid est assez particulier. C'est à la suite de ses associations autour de la femme voilée, au cours d'une discussion, que j'ai pensé étendre cette enquête aux hommes. Son discours tourne surtout autour de ce que représente la femme voilée dans l'imaginaire de l'homme. Cependant, il me semble qu'il a progressivement abordé tous les thèmes, sans compter le fait que j'ai eu droit à la fin de l'entretien à une sorte de révélation, concernant l'éducation sexuelle des garçons faite par des vieux expérimentés.

La bipartition du monde est clairement établie chez Farid. Il y a le monde du dedans, de la grande maison, ce qui implique la grande famille, mais surtout les femmes : la mère, les sœurs, les cousines et les tantes. La grande promiscuité et les multiples interdits imposés très tôt. C'est le monde des contraintes, représenté par les multiples tentations qu'il offre à l'homme, en même temps que l'interdit qu'il oppose invariablement à toute tentative de satisfaction du désir. De ce fait, le monde du dehors devient l'envers de la famille. Farid le dit bien : « Dehors, l'homme prend sa revanche sur le monde féminin ». Il crée un espace où il est le maître, où son désir est roi. Il se libère de tous les interdits, et, partant, de l'interdit par excellence qui est celui de l'inceste. Ceci est particulièrement manifeste dans le discours de Farid. Nous verrons, dans les autres entretiens, chacun des interviewés composer, selon sa personnalité, avec cet interdit fondamental, mais dans tous les cas, il est toujours présent. C'est lui qui détermine l'attitude de l'homme, face à la femme voilée. Ainsi, Farid fait, du dehors, l'espace de la libre expression du fantasme. La femme qui s'y aventure devient une possibilité sexuelle. Rien ne vient faire barrage à la poussée du désir, ni l'âge, ni le statut (mariée ou pas), ni l'enfant qu'elle peut porter dans les bras, ni le voile. Au contraire, tout ceci contribue à la rendre plus attirante.

Quant au voile, il est complètement dévié de sa fonction première, qui est censée être « une horma » pour la femme. Ce qui lui permet de garder son caractère sacré, interdit, même lorsqu'elle est en dehors de la maison. Ce signe est méconnu, ignoré, ou plutôt inversé. Le voile devient le symbole sexuel par excellence. L'identité de la personne est de peu d'intérêt. Farid utilise à deux reprises le terme de « silhouette voilée », c'est encore plus anonyme que : « femme voilée ». Il insiste par ailleurs en disant qu'il « ne veut rien savoir des détails ». Il ne cherche pas à percer le secret ou déchirer le voile. Au contraire, le voile va fonctionner comme un voilement de la conscience, et permettre l'accès au principal objet du désir qui est la mère. C'est ainsi que Farid va finir par rencontrer sa mère. C'est « une silhouette élancée et bien drapée dans un voile, la démarche assurée, et qui, en plus, se dirige vers moi ». L'espace de quelques instants, il fantasme très fort que c'est vers lui qu'elle se dirige, que c'est à son désir qu'elle répond, jusqu'au moment où elle le pétrifie lorsqu'elle se dévoile et découvre son visage. Ceci ne peut manquer de nous renvoyer à « la tête de Méduse », qui pétrifie celui qui ose la regarder (comme l'enfant qui oserait regarder l'organe génital féminin). L'effet de pétrification serait une sorte de réassurance, puisque « loin de provoquer la castration, cette vue provoquerait au contraire une érection » (2).

Laplanche nous fait remarquer que : « Ce que Freud n'indique pas et ne souligne pas (et qui est venu beaucoup

---

(2) Laplanche (J.), « La castration, ses précurseurs et son destin », in *Bulletin de psychologie* XXVII, 312, 1973-74, p. 707.

plus dans les développements post-freudiens), c'est le fait que c'est le corps entier qui, dans cette pétrification, est identifié au phallus, et non plus seulement une érection d'une partie du corps » (3). C'est donc une réassurance contre la castration dans la mesure où la tête de Méduse symbolise l'organe génital féminin comme castré.

On peut donc comprendre, à partir de ce qui précède, qu'il ne peut être question pour Farid que de « silhouette voilée », ce qui laisse en suspens la question de la différence des sexes. Le voile vient à propos pour la laisser ouverte, et lui permettre du même coup d'esquiver la menace de castration et le tabou de l'inceste. Le voile devient ainsi la chose de Farid, son fétiche. Ce qui lui permet de renouveler indéfiniment cette intense excitation, liée à la possibilité de rencontrer sa mère dehors à l'insu du père, semblant dire comme l'enfant que paraphrase J. Mac Dougall : « Ce n'est pas vrai (déclare l'enfant), mon père n'a aucune importance ni pour ma mère, ni pour moi. Je n'ai rien à craindre de lui ; du reste, je suis le seul objet du désir de ma mère » (4). Elle dit par ailleurs que « le futur pervers ne trouve aucun voile assez épais pour estomper la douleur et les contours de l'insupportable vérité, ainsi que le névrosé en est capable. Il ne peut qu'oblitérer le problème et trouver de nouvelles réponses au désir. Au cours de l'analyse de ces patients, on a l'impression qu'ils ont été prématurément exposés à une stimulation sexuelle, puis rejetés ensuite, et nourris de connaissances illusoires » (5).

Il est vrai que c'est un peu trop s'avancer que de tirer de telles conclusions à partir d'un seul entretien, même s'il est très riche en symboles. Ainsi, même lorsqu'il parle de son éducation sexuelle faite par les vieux expérimentés, la question qui revient à l'esprit est : Sommes-nous devant ce vieux réflexe tribal qui prône la méfiance à l'égard de tout étranger au groupe des hommes ? Ou bien s'agit-il de la méfiance tout aussi archaïque à l'égard de la personne la plus proche, mais aussi la plus étrange par la dif-

---

(3) Ibid., p. 707.
(4) Mac Dougall (J.), *Plaidoyer pour une certaine anormalité*, éd. Gallimard, Paris, 1978, p. 54.
(5) Ibid., p. 55.

férence qu'elle porte inscrite en son corps, et le monde de l'étrange qu'elle augure si l'homme s'y aventure ?

Aussi, il est plus facile et sans danger de jouer avec le fantasme, dehors, en compagnie des autres hommes ; mais dès qu'on entre dans la maison, il est important de rendre aux femmes leur caractère sacré-intouchable.

Entretien n° 5

Adil, 30 ans, juriste.

La femme voilée ?

Ça ne m'a jamais questionné jusqu'à l'âge de 17 ou 18 ans. Pour moi, c'était la norme jusqu'à ce que je découvre la femme à moitié voilée, c'est-à-dire celle qui a le visage découvert. C'est la caractéristique des femmes de la ville d'Oran. C'est alors que ça m'a posé question. Jusqu'à ce moment-là, c'est ma mère et ma sœur voilées très traditionnellement qui représentaient la tradition et la norme pour moi, mais aussi tout ce qui était sacré, intouchable. Il y avait celles qui étaient comme elles et qui étaient dans la norme et celles qui étaient en dehors de la norme. Mais lorsque j'ai avancé en âge, j'ai découvert que celles qui étaient à moitié voilées remettaient en question la norme sociale, mais pas la tradition religieuse. J'ai appris ceci en discutant avec les docteurs de la foi religieuse, qui m'ont enseigné le fait que la religion permettait à la femme de découvrir son visage, ses mains et ses pieds. On peut se demander si les femmes qui découvrent leur visage n'utilisent pas inconsciemment la tradition religieuse pour remettre en question la norme sociale. Puis, il doit y avoir, parmi elles, celles qui sont informées, soit par la télévision, soit à la mosquée, que la religion n'interdit pas à la femme de découvrir son visage.

L'âge adulte arrivant, je vois apparaître la femme complètement dévoilée, tandis que persistent toujours des femmes comme ma mère qui sont complètement voilées.

Au niveau des femmes complètement découvertes, il faut distinguer deux catégories :

Les femmes complètement « libérées » du carcan religieux et traditionnel. En déposant le voile, elles ont déposé tout ce qui représentait pour elles la soumission à l'ordre social masculin.

Les femmes qui ont déposé le voile pour plus de commodité par rapport à leur travail.

Il y a une troisième catégorie très « marrante ». Elles portent le voile jusqu'à l'entrée du bureau ou de l'usine, et le remettent à la sortie comme si c'était deux sociétés. Le travail représente pour elles une société de tolérance, contrairement à l'autre société de contrôle et de censure. Là, ça rejoint l'idée de certains que le travail est le moyen de libération de la contrainte sociale, que représente le voile.

Il y a une autre catégorie de femmes qui sont habituellement dévoilées, mais se voilent soit pour rencontrer leur ami masculin, soit pour faire le marché.

Le voile par rapport à l'image du corps ?

Il y a deux façons de porter le voile :

1) Il y a celles qui le portent de façon normale, telle que la norme l'admet.

2)Il y a celles qui le portent de manière provocante. Elles ont l'air de dire : tu veux la tradition, tu l'as, mais il y a autre chose derrière. Elles utilisent la tradition à des fins personnelles, et là il est question de filles de mœurs légères.

Je commence à penser au corps voilé en fonction des éléments suivants et à partir de ce que j'entrevois.

1) Si le voile est porté de manière traditionnelle, c'est-à-dire qu'on ne voit qu'un seul œil, alors je ne dis rien, *je n'ai rien à voir ni à imaginer, je risque de regarder ma sœur, ma mère ? Non, pas elle !*

Quand les deux yeux sont découverts et que ça se passe dans ma ville natale, là non plus je n'ai rien à voir ni à imaginer.

2) Dans la grande ville, dans l'anonymat, je peux regarder et lorsque je vois les deux yeux, je peux me poser des questions sur le corps. Si le visage est complètement découvert, mon imagination est plus poussée.

3) Celles qui sont contraires à la tradition et à la norme sociale, donc de mœurs légères, je les rejette catégoriquement.

Ce que représente pour lui la femme qui se dévoile ?

Il faut (toujours) distinguer entre celle qui le dépose et celle qui le rejette. Celle qui l'a vidé de son sens fétichiste et a gardé les traditions arabo-musulmanes ; cette catégorie n'est pas très éloignée de ma mère et de ma tante, parce que celles-là n'avaient pas besoin de le quitter, n'étant pas préparées à ces occupations professionnelles.

Commentaire :

L'entretien que j'ai eu avec Adil est un modèle du genre, car il nous met en présence d'un personnage parfaitement en accord avec les normes de sa société concernant les femmes. Cependant un tel conformisme, une telle adhésion à des principes connus pour leur caractère rigide et discriminatoire à l'égard de la femme, ne peut que nous étonner chez cet homme de 30 ans, que j'ai interviewé en France. Il y résidait pour préparer un doctorat en droit, et ainsi, sa vie durant, il va se mettre au service de la loi. Mais à quel prix ? C'est ce qui est permis de se demander. « Il est certain, dit Devereux, que l'acceptation du milieu socio-culturel en tant qu'*ordre distinct* de réalité, est une partie intégrante et importante de l'acceptation de la réalité. Trop souvent, cependant, la réalité sociale est acceptée aux dépens de telle autre, plus fondamentale, que la culture juge bon de rejeter pour des raisons qui lui sont propres » (6). Cette autre réalité que la société rejette est bien sûr la vie sexuelle. « Car elles se disputent toutes deux la même source d'énergie, l'énergie libidinale. Or, le plus grand « dévoreur » d'énergie libidinale serait - à l'évidence - un amour fusionnel mère/enfant, puisqu'il ne laisserait, à la limite, aucune énergie disponible, celle-ci étant entièrement investie dans cet amour... C'est pourquoi, réprimant de son mieux toute vie sexuelle autre que celle qui sert ses buts, la société interdit sans appel l'inceste mère/enfant » (7), ou tout ce qui peut s'apparenter à lui et que nous retrouvons chez les amoureux qui, dans leur attachement réciproque, oublient tout ce qui n'est pas eux. Contre l'émergence de ce type de relation, la société maghrébine a mis en place des règles simples, mais très restrictives. G. Rubin nous résume la situation de façon très vivante, à travers ce dialogue silencieux qui semble s'instaurer entre l'amoureux et ce type de société :

« J'aime cette femme
- Elle t'est interdite
- Alors cette autre ?

---

(6) Devereux (G.), *op. cit.*
(7) Rubin (G.), *op. cit.*, p. 167.

- Elle l'est aussi », etc.

De sorte qu'on est conduit à se marier, non avec celle qu'on aime, mais avec celle qui est permise. « Une seule femme est possible pour un seul homme : la fille de l'oncle paternel » (8) ; celle qui saura le mieux s'adapter à l'ordre établi et permettra que se perpétue la relation « sacrée » mère-fils. Elle est là pour assurer le fonctionnement de la dimension sexuelle physiologique.

A l'adolescence, au moment des grands bouleversements et des questionnements, c'est auprès des docteurs de la foi qu'il allait chercher les réponses à ses préoccupations concernant la femme, contrairement à Farid, qui préférait se glisser parmi les vieux expérimentés de la sexualité féminine, pour satisfaire sa curiosité sexuelle.

Au cours de l'entretien, Adil ne se départira à aucun moment d'une attitude pseudo-scientifique, qui consistera à dresser un tableau très complet des différentes sortes de femmes voilées. La seule faille, et elle est d'importance, est que c'est sa mère et sa sœur qui représentent l'unité de mesure, l'étalon. Elles incarnent la norme sociale et la tradition. Elle sont, d'autre part, sacrées et intouchables. Ce caractère sacré s'étend non seulement à l'aire géographique qu'elles habitent, mais aussi aux femmes qui se voilent comme elles, selon la norme sociale et la tradition religieuse. Dans cette zone sacrée, il s'interdit toute émergence d'idée ou comportement à visée sexuelle, et lorsque j'insiste pour approcher sa réalité fantasmatique, nous mesurons l'importance de sa résistance dans sa réponse catégorique, mais non moins révélatrice : « Je n'ai rien à voir, ni à imaginer, je risque de regarder ma sœur. Ma mère ? (C'est moi qui ai insisté.) Non, pas elle.

De ce fait nous comprenons l'attachement de Adil aux normes de sa société, car elles lui fournissent les moyens de vivre de façon non conflictuelle son attachement particulier à sa mère. Comme nous l'avons vu dans les chapitres précédents, dans notre société, seule la mère échappe à la situation pénible qui est la réalité des autres femmes, qui n'ont pas encore atteint ce statut. D'autre part, le traitement affectueux des parents est recommandé par la reli-

(8) Ibid., p. 169.

gion, qui, en plus, pose comme condition d'accès au paradis une soumission totale à la mère. Fort de ces préceptes religieux et sociaux, Adil peut vivre en toute quiétude sa relation « sacrée » à sa mère. C'est une situation qui est très courante et vécue apparemment de façon non conflictuelle, sauf pour l'épouse du fils.

On peut donc comprendre l'adhésion totale et aveugle de Adil aux normes sociales qui lui permettent de masquer une réalité dont le refoulement est nécessaire. Il s'agit en l'occurrence de son attachement à des objets sexuels incestueux dont il fait constamment référence et qui sont sa mère et sa sœur.

Entretien n° 6

Madjid, 38 ans, professeur.

La première image qui me vient à l'esprit à propos du voile, c'est celle de ma mère, mes tantes, mes sœurs. Je les ai toujours reconnues sous le voile, jamais je ne me suis trompé. Il ne me choque pas quand il est porté par des femmes d'une certaine génération.

Mon père n'a jamais forcé mes sœurs à porter le voile, mais c'est elles qui ont insisté pour le mettre. Finalement, les femmes répètent, reconduisent un certain nombre de traditions qui les oppriment. La grande victoire du dominant, c'est de ne pas utiliser la coercition, mais il fait en sorte que le dominé intègre ses données.

Il y a un mois et demi, une de mes nièces est venue me voir. Elle habite à 500 mètres de chez moi, elle est professeur de français, elle va au travail sans voile, mais pour venir me voir, elle est venue voilée. J'ai essayé de savoir pourquoi, elle n'a pas su m'expliquer. Pour aller au hamam, elle le porte aussi. Alors c'est par rapport à moi, qu'elle a mis son voile. Pourtant, elle me connaît libéral. Je suis d'accord pour que le voile ne soit pas porté, mais à condition de rester dans certaines normes (ceci est dit à propos d'une autre nièce, venue de France, qui se serait attablée dans un café en portant une mini-jupe).

Le malheur, c'est que ce n'est pas uniquement la femme qui est éduquée dans ce système, qui est une espèce de cocon bardé de défenses. Sans compter notre attirance par rapport au français. C'est une langue, mais en tant que telle, elle véhicule des valeurs vis-à-vis desquelles on éprouve une attirance, mais en même temps une répulsion.

Je n'ai pas la nostalgie de la femme voilée, et je n'ai jamais pensé épouser une femme voilée. Pour moi, comme pour un certain nombre de compatriotes, la femme idéale rassemblerait en elle ce qu'il y a de mieux chez la femme arabe, et ce qu'il y a de mieux chez la femme occidentale. L'impossible synthèse. Donc, on refuse celle-ci, puis celle-là, et ainsi de suite : « Jérusalem, l'an prochain ».

La caricature de cette histoire est une histoire vraie : Un Italien âgé de 32 ans est resté fiancé pendant 10 ans, avant de se décider à se marier avec sa femme. Puis il est parti en voyage de noces avec elle et sa mère. Le soir venu, il a été dire bonsoir à sa mère, mais il est resté trop longtemps ; sa femme a été le chercher. C'est alors qu'elle le trouva dans les bras de sa mère, en train de téter son sein.

J'ai vu aussi une pièce intéressante, toujours sur la relation mère-fils, intitulée « 10 leçons pour être une mère juive ». Il est question de cette espèce d'excès de présence, de chantage affectif, que l'on retrouve aussi chez les mères algériennes.

Les femmes qui se sont dévoilées ?

A priori, ça ne me pose pas de problème... puisque mon père a toujours été libéral. La femme dévoilée ne me faisait pas peur... mais j'ai vécu en France 23 ans, et ce n'est que depuis deux ans et demi que j'ai pu me rendre compte qu'il y avait des femmes arabes. Ce qui m'a souvent gêné chez ces femmes dévoilées, c'est une question permanente que je me posais : « Qu'est-ce qu'il y a de femme arabe en ces femmes-là ? » Elles me semblaient tellement occidentalisées qu'elles me renvoyaient à une caricature de la femme occidentale, et je me disais, à choisir, je préférerais une femme occidentale, qui est le produit de son histoire, de son monde, plutôt que la femme arabe qui se mettait dans la peau ou se voulait à l'image de la femme occidentale. Il me semblait qu'elle se trouvait dans un tel état de crise d'identité, qu'il ne pouvait y avoir entre nous qu'un rapport conflictuel. Puis petit à petit, je me suis rendu compte finalement que je cherchais, à travers elles, cette image traditionnelle de la femme arabe.

Qu'est-ce que notre arabité ? C'est une certaine régression, un passé. La femme qui reste voilée dans l'Algérie actuelle, ça me paraît un anachronisme. En même temps, l'idée me vient de fixer dans des images, dans un film, ce type de société (traditionnelle), qui va disparaître. Ça me rappelle aussi qu'une femme de notre famille, qui était notre mémoire, est morte, et, avec elle, tout a disparu. On a perdu quelque chose. Pour moi, c'est important, j'ai besoin de ma mémoire, de ma généalogie, de mon histoire, de mes repères. Je veux revenir sur notre algérianité, écrire un livre sur saint Augustin. A la recherche de ma mémoire, je m'oriente vers la femme.

Ce que représente le voile par rapport à l'image du corps de la femme ?

C'est une source de fantasme, on est en plein dans l'érotisme. Est-ce que le voile voile les formes de la femme ? Il me semble qu'il les met en valeur. De façon fantasmatique, le voile accentue les formes de la femme beaucoup plus que dans la réalité. Comme de plus en plus, c'est une femme inaccessible, ça renvoie à une misère sexuelle terrible, puisque le passage à l'acte est impossible, sauf dans la prostitution. En Algérie, il n'y a que des femmes interdites, la femme pied-noir, la mère, les cousines, les sœurs, ou l'horreur de la femme prostituée.

Le voile par rapport à l'image du corps de la mère ?

Je n'ai jamais fait consciemment le rapprochement entre le corps voilé de ma mère et celui de la femme voilée. Par contre, ça me renvoie au hamam, où le corps est dénudé parmi tant d'autres. La présence du garçon est très ambiguë. Il est en position de voyeur. La mère ne sait jamais que son fils a grandi et elle va résister pendant quelques mois, jusqu'à ce que la gardienne du bain aille poser l'interdiction d'entrée au petit garçon.

Commentaire

L'intérêt de l'entretien que j'ai eu avec Madjid réside dans le fait qu'il nous renvoie avec une certaine acuité l'image de l'Algérie passée et présente, à travers cet analyseur que j'ai choisi et qui est le voilement-dévoilement de la femme.

Je m'arrêterai chaque fois qu'il sera nécessaire, pour tenter d'éclaircir certains points obscurs touchant la dimension sociale. Je ne perdrai pas de vue, pour autant, la part de l'individu, la dimension psychologique qui affleure tout au long du discours.

Ainsi, sa première image de femme voilée, c'est celle de sa mère, ses tantes et ses sœurs. Ces dernières font partie de la génération d'avant-guerre. Leur père était haut fonctionnaire durant la colonisation et, semble-t-il, acquis aux idées d'émancipation de la femme qui avaient cours à l'époque. Elles ont cependant refusé de se dévoiler et se sont alignées sur la position des femmes qui se voilaient en signe de résistance. Elles ont donc refusé de suivre leur père, dans la mesure où il ne représentait plus l'ordre social traditionnel, mais plutôt un ordre nouveau, celui du colonisateur. Nous avons vu, dans les chapitres précédents, l'accueil qui lui a été fait. Madjid reste perplexe devant l'attitude d'une de ses nièces, qui vit le voilement-dévoilement caractéristique de l'Algérie actuelle. Pour aller au travail, elle se dévoile, mais pour aller au hamam et pour rendre visite à son oncle, elle se voile. Il dit pourtant être libéral, et sa nièce a dû le percevoir comme tel. D'autre part, il l'a même questionnée sur ce comportement traditionaliste, qui lui semble être en contradiction avec son niveau intellectuel. Mais encore une fois, cette jeune femme, à l'image de ses tantes (les grandes sœurs de Madjid), obéit non pas à l'injonction de son oncle, mais à la norme sociale exprimée par la mère de Fahima (entretien n° 2), que nous pouvons résumer ainsi : « Lorsque tu vas travailler, tu es comme un homme, puisque tu occupes sa fonction et par conséquent, tu peux y aller dévoilée, mais dès que tu réintègres le monde des femmes, tu en adoptes les attitudes et la principale est d'être voilée. » Nous retrouvons ce vieux principe de la famille traditionnelle, pour qui ses membres sont d'abord perçus comme des rôles avant d'être des personnes. Les attitudes à adopter sont prédéterminées et varient selon les situations : l'essentiel est de les appliquer à la lettre au moment venu.

C'est ainsi que pour rendre visite aux parents, pour aller au mariage, à un baptême, au hamam ou au cimetière, cela se fait d'une façon traditionnelle, donc en portant le voile, quel que soit le niveau intellectuel de la femme. N. Zerdoumi, auteur du livre « Enfants d'hier », parlant d'elle-même, dira : « C'est sans contrainte aucune, que je revêts le voile soigneusement rangé dans ma valise, avant d'arriver à Tlemcen auprès de ma famille » (9).

(9) Zerdoumi (N.), *op. cit.*, p. 39.

Cependant, le côté libéral que Madjid revendique a des limites ; il est « d'accord pour que le voile ne soit pas porté à condition de rester dans certaines normes » ; lesquelles ? On ne sait pas trop, lui non plus d'ailleurs, car il ne cherchera pas à définir ces normes qui restent quelque chose de personnel, une sorte de seuil de tolérance qui serait le propre de tout un chacun, face à l'évolution de la femme. Nous illustrons cette peur, cette réticence de l'homme par quelques remarques extraites du livre de F. M'Rabet sur « Les Algériennes » : « Tout le monde veut bien que les jeunes filles évoluent, pourvu que ça ne se voie pas. Comme si une évolution qui ne se remarque pas en était une, comme si l'histoire d'un individu, garçon ou fille, n'était pas, d'abord, celle de son corps... » (10) « Parler d'une évolution selon nos traditions », c'est prétendre qu'on peut changer sans innover, se transformer sans se modifier, rester soi-même en ne l'étant plus ou l'être encore sans le rester ! En fait, il n'y a pas « d'évolution traditionnelle ». La formule est vide de sens : c'est probablement pourquoi on se garde bien de la définir ; ne seraitelle alors qu'un paravent, un prétexte ? Une situation paradoxale dans laquelle serait placée la femme, pour maintenir les choses dans l'état où elles sont, c'est-à-dire le statu quo. Toucher à la femme, même sous un gouvernement national, a des répercussions qui dépassent le social pour rejoindre la dimension psychologique.

Le conflit entre le moderne et le traditionnel, entre l'ouverture et la fermeture, se trouve résumé dans ce passage de l'entretien à propos de la langue française, vis-à-vis de laquelle « on éprouve une attirance, mais en même temps une répulsion, à cause des valeurs qu'elle véhicule ». Il est vrai que ces « valeurs étrangères » contrarient pour la plupart les principes fondamentaux de la société traditionnelle. Ainsi, si la tradition exige de la femme l'effacement, le voile, la non-communication avec l'étranger, elle est appelée, dans sa vie professionnelle, comme ses collègues hommes, à recevoir le tout-venant à visage et corps découverts, à communiquer avec lui, à prendre la parole dans des assemblées mixtes, etc. Comment arrive-t-elle à réaliser la synthèse entre ces deux modes de vie antithéti-

(10) M'Rabet (F.), *op. cit.*, p. 69.

ques ? Cette impossible synthèse entre deux mondes, qui prônent des valeurs totalement contradictoires, intervient chez Madjid, du moins dans un premier temps, comme alibi par rapport au choix de la femme. Sur ce projet, constamment reporté et qui n'est toujours pas réalisé au moment de l'entretien, il fait une association entre une histoire vraie qui se passe en Italie, et une pièce de théâtre qui a lieu à Paris, et qui concerne « la mère juive dans sa relation à son enfant ». Dans les deux cas, il est question de la relation fusionnelle entre une mère et son fils. Ce dernier n'est plus un nourrisson, mais un adulte qui ne peut assumer une vie sexuelle normale, étant donné sa fixation incestueuse à sa mère.

Chez Madjid aussi, derrière le voile se profile l'ombre de la mère toute-puissante, et ceci malgré les nombreuses « rationalisations » que l'on trouve dans son discours sociologisant, et « les déplacements » dès que l'on approche de la dimension psychologique. Ainsi, les relations incestueuses mère-fils concernent le monde juif ou italien.

Lorsque nous abordons avec lui son vécu de la femme voilée, nous voyons émerger d'autres mécanismes de défense, qui sont le déni et la projection. Pendant plus de 20 ans, Madjid ne voit pas de femmes arabes « dévoilées » en France. Lorsqu'il consent à leur supposer une existence, il leur dénie toute réalité positive, en même temps qu'il projette en elle des conflits tels, que leur rencontre ne peut être que conflictuelle et, par conséquent, voilà une nouvelle raison pour éviter de les rencontrer. En fin de compte, il réalise qu'à travers ces femmes occidentalisées, il recherche cette image traditionnelle de la femme arabe, mais qui est tout aussi impossible à confronter, puisque nous avons vu qu'elle le renvoyait à l'image de la mère captatrice et toute-puissante.

Nous voyons donc que cette crise d'identité à laquelle il fait allusion, l'impossible rencontre entre deux mondes (l'arabe et l'occidental), est en fait sous-tendue par son impossible rencontre avec la mère, ou plutôt la phantasmère dont nous parle G. Rubin et qu'elle définit ainsi : « Chacun de nous a, dans la réalité, une mère quelconque, aimante certes, prête à donner sa vie pour nous certes, mais ni plus, ni moins puissante qu'une autre personne. Et, dans notre inconscient, nous avons une mère phantasmatique toute-puissante - pour le meilleur ou pour le pire » (11).

« Pour rendre ce clivage plus explicite dans les termes, j'appellerai désormais "mère" la mère réelle, et "phantasmère", la mère phantasmatique, celle dont l'attribut est la toute-puissance » (12).

Madjid va poursuivre ses associations et aboutir ainsi à l'arabité, qui le renvoie à des notions telles que régression et passé. Le voile étant l'un des vestiges de ce passé qui persiste et apparaît comme un anachronisme dans l'Algérie actuelle, qui se veut moderne et progressiste. C'est donc quelque chose qui va disparaître. Il lui vient donc l'idée de fixer tout cela dans des images. Ce qui renvoie à la mort de façon plus aiguë, et déclenche en lui une sorte de panique, car cela renvoie aussi à la disparition du monde des femmes. Plus grave encore, cette disparition signifierait la disparition de la mémoire du groupe, ainsi que sa permanence, puisque pendant longtemps les femmes étaient les gardiennes de la tradition. Il arrive à se dégager de cette angoisse qui touche au fondement de son existence, en se donnant comme projet d'écrire un livre sur notre algérianité, sur saint Augustin. La mère peut mourir, il ne disparaîtra pas avec elle. Il écrira l'histoire, son histoire, pour en être le maître et ainsi assumer une tâche qui jusqu'alors était dévolue aux femmes.

Quant au corps de la femme, qu'il soit voilé ou non, familier ou étranger et, le pire, prostitué, il est vécu comme interdit ou noyé dans la masse des femmes nues du hammam. Ceci en ce qui concerne la mère, qui ne voit pas que son fils a grandi, et c'est une autre femme, la gardienne, qui va lui interdire l'entrée au bain aux heures des femmes.

C'est donc la gardienne de ce royaume des mères qui, de sa voix forte, va débusquer l'enfant œdipien. L'auteur de l'interdit et, par conséquent, de la menace de castration, est cette femme. L'angoisse qui en résulte prend sa source dans la relation à la mère primitive durant la « phase orale ». Plutôt qu'à une progression, nous assistons donc à une régression sur une position antérieure prégénitale. C'est donc un interdit qui a des effets négatifs,

(11) Rubin (G.), *op. cit.*, p. 117.
(12) Ibid.

car il confronte l'enfant à la mère castratrice. Contrairement à l'interdit qui émane du père, celui-ci étant vécu comme un rival. Sa loi est celle du plus fort. Elle interdit une femme - la mère - dont on se détourne par la force des choses, pour rencontrer les non-mères, donc toutes les autres femmes.

Cet interdit, et la menace de castration qui en découle, est une loi positive, car la crainte de la menace va permettre à l'enfant de sortir du complexe d'Œdipe.

A partir des entretiens faits auprès des hommes, nous pouvons tirer quelques conclusions concernant leur vécu du voilement-dévoilement de la femme. Dans les trois cas, le voile a fonctionné comme écran sur lequel est venu se projeter l'histoire de chacun, indépendamment de la réalité de la personne voilée.

A aucun moment, il n'est question que la femme se dévoile pour être rencontrée. L'anonymat est respecté et même utilisé. De cette masse de femmes voilées et anonymes, n'émergent que la mère et la sœur. Dans cette recherche de l'autre, il n'est question que du même, qu'on ne tient pas à reconnaître (Farid), qu'on a toujours reconnu (Madjid), qu'on s'interdit de voir (Adil).

Pour Farid, le voile est une partie intégrante de la femme sexuellement attirante. Sous le voile, toutes les femmes sont possibles, y compris la mère.

Adil va adopter une attitude inverse. Il va classer les femmes selon deux catégories, celles qui sont sacrées et intouchables, et celles avec lesquelles il peut envisager une relation sexuelle, mais non amoureuse. Selon Freud, « la vie amoureuse de tels hommes reste clivée selon deux directions, que l'art personnifie en amour céleste et amour terrestre (ou animal). Là où ils aiment, ils ne désirent pas et là où ils désirent, ils ne peuvent aimer. Ils recherchent des objets qu'ils n'ont pas besoin d'aimer, afin de maintenir leur sensualité à distance de leurs objets d'amour et, selon les lois de la « sensibilité complexuelle » et du « retour du refoulé », cette étrange défaillance qu'est l'impuissance psychique survient lorsque, dans l'objet choisi pour éviter l'inceste, un trait, souvent peu voyant, rappelle l'objet à éviter » (13).

---

(13) Freud (S.), « Contributions à la psychologie de la vie amoureuse », in *La vie sexuelle*, PUF, Paris, 1969, pp. 47-80.

Madjid utilisera, par contre, toute sa perspicacité pour toujours reconnaître mère et sœurs, et toutes ses capacités intellectuelles pour se mettre à distance de toute relation qui ne peut être vécue que sur un mode fusionnel et archaïque.

Ainsi, le voile par son côté archaïque, puisqu'il remonte à la nuit des temps, et par son rôle d'écran sur lequel vient se projeter l'histoire primitive de chacun, ne fait que perpétuer le règne de la mère phantasmatique toute-puissante, que l'homme espère assujettir en rabaissant la femme, ce qui est, comme le dit G. Rubin, une dramatique confusion.

CINQUIÈME PARTIE

LE SILENCE, LA PEUR ET LA PUDEUR,
LE SECRET,
LA VOIX VOILÉE

Ce sont là quelques traits culturels qui ont émergé au cours de trois psychothérapies, menées avec deux petites filles et une adolescente, toutes trois originaires d'Algérie.

Ces thérapies sont issues de ma pratique au C.M.P.P. (Centre Médico-Psycho-Pédagogique) de Vitry, qui est un service municipal. La transplantation n'a certainement pas été sans produire ses effets au niveau de la dynamique familiale, ni sans conséquences au niveau psychologique. Je le signalerai, le cas échéant, mais sans faire de ce facteur le sujet principal de mon étude. En outre, nous avons vu, dans le chapitre précédent, que la jeune fille algérienne est soumise à des sollicitations tout aussi antagonistes à l'intérieur même de son pays. Cette situation n'est donc pas propre à l'immigrée. Elle met cependant à découvert les points d'ancrage d'un certain type de société.

J'essaierai de saisir leur impact au niveau de la personnalité de la femme en général dans la société algérienne, et à travers l'histoire particulière de Sékina (sept ans), Djahida (huit ans et demi) et Ouardia (dix-sept ans).

Si je devais utiliser un euphémisme, je dirais qu'en Algérie, le corps de la petite fille n'est pas infibulé ; il n'est pas non plus excisé, comme dans certains pays d'Afrique, ou même dans certains pays arabes ; mais c'est la personne toute entière qui est coupée d'elle-même et de son environnement. J.-Th. Maertins nous parle aussi de cette coupure de l'environnement que subit la petite fille dans les sociétés primitives : « On coupe la fille de son environnement, à défaut de lui couper un organe du corps, comme on le fait sur le pénis du garçon » (1). Mais cette coupure intervient à titre initiatique au moment de la puberté. Elle concerne aussi bien le garçon que la fille et constitue une sorte d'ancrage dans leur identité respective. Ceci entre en concordance avec la remarque de Freud, à savoir que

(1) Maertins (J.-Th.), *Le corps sexionné*, éd. Aubier Montaigne, Paris, 1978, p. 34.

« c'est à la puberté qu'une distinction nette s'établit entre le caractère masculin et le caractère féminin » (2).

Dans la société arabe traditionnelle, cette coupure apparaît dès la naissance. Yamina Fekkar va jusqu'à dire que « dès la naissance, la fille est marquée du sceau de la mort ; ce fameux Wa'd des anciens Arabes, pratique préislamique qui consistait à enterrer vivante la petite fille qui vient de naître. Persisterait-elle dans ce silence glacial qui accueille la naissance d'une petite fille ? Ou dans la mortalité anormalement élevée des petites filles en Algérie ? » (3)

Si nous suivons l'itinéraire de la petite fille avec Mme Fekkar, sage-femme qui exerça durant plusieurs années dans l'Oranie, nous voyons que dès son arrivée au monde, elle est accueillie par « un silence résigné où la déception et la soumission à Dieu sont indissociables dans l'expression. A Tlemcen, on dira "lefta" (navet) ; ou "kabouya" (citrouille) à Constantine ; "khanfoussa" (cloporte) à Saïda ! » (4)

Très tôt, sa mère veille à la tenir bien emmaillotée pour cacher cette « infamie originaire » contrairement au petit garçon dont le sexe est l'objet d'attentions, de jeux et de cajoleries, aussi bien de la part des femmes que des hommes de la maison.

Dès l'âge de 6-7 ans, la petite fille est déjà, dans certaines familles, l'aînée de quatre ou cinq enfants. Elle est considérée comme la grande sur laquelle sa mère se repose. Elle s'occupe de ses petits frères et sœurs. Elle fait le ménage, commence à cuisiner, à tisser et à broder. Les jeux avec ses petites camarades sont bien loin. Très fière de ses premières performances, elle se laisse couler dans un personnage dont elle ne mesure pas le dégré d'aliénation. Très tôt, il lui est inculqué qu'elle est « un être pour autrui », à la merci de son regard. D'où la puissance du regard dans la culture arabo-islamique. On lui apprendra à cultiver l'apparence, au détriment de son être profond. Ainsi, il est mis fin à ses jeux, à ses improvisations, à sa

(2) Freud (S.), *Trois essais sur la théorie de la sexualité*, éd. Gallimard, Paris, 1962, p. 128.

(3) Fekkar (Y.), « La femme, son corps et l'Islam », in *Le Maghreb musulmen en 1979*, éd. du CNRS, Paris, 1981, pp. 135-146.

(4) Fekkar (Y.), *op. cit.*, p. 137.

spontanéité. On lui apprend le geste mesuré, la parole adaptée en chaque circonstance, l'attitude et l'habit qui conviennent à chaque situation. « Les fillettes apprennent auprès de leurs aînées les vertus que doit posséder la femme, soumission absolue, discrétion, et les pratiques magiques et rituelles, cultes des "génies", pèlerinages locaux, rites, etc., en sorte qu'elles puissent à leur tour jouer le rôle de gardiennes de la tradition » (5). Ainsi vont-elles évoluer en marge de l'histoire, en ayant pour tâche principale de perpétuer la tradition. Elles vont développer une grande complicité avec les femmes avec lesquelles elles partagent les secrets, les pratiques magiques et le goût du fabuleux.

La petite fille apprend aussi, par l'attention particulière dont elle est très tôt l'objet, qu'elle est un corps pour autrui. En elle repose l'honneur de la famille ; de son intégrité physique dépendent la stabilité et la cohésion du groupe. D'où son immobilisation précoce, surtout dans les milieux traditionnels. Toute marque de dynamisme est vécue comme un facteur de risque à l'encontre de ce sacré, « haram », qui est inscrit dans son corps et qui est sa virginité. Aussi, l'attitude requise est faite de réserve, de pudeur et d'une *pesanteur dans le déplacement, qui signifie le « poids »* de ce dont son corps est le porteur. Ceci ne va pas sans un sentiment mêlé d'angoisse par rapport à la perte éventuelle. Cette peur est alimentée par la mère, qui tisse autour de sa fille un réseau d'interdits concernant, par exemple, certains aliments acides qui pourraient détruire son hymen ; certains jeux brutaux ; la proximité des garçons, qui est formellement interdite. Sa garde est confiée à son frère, quel que soit son âge. C'est pour lui l'occasion d'exercer sa tyrannie sur une femme à l'image de ce qu'il voit au niveau du couple parental.

Le rôle des frères est traduit dans un vieux conte kabyle que nous rapporte P. Bourdieu : La fille aux sept frères, sept fois protégée, « telle une figue parmi les feuilles ».

On imagine la panique d'un père vivant en France, lorsqu'il voit son adolescente prise dans le mouvement qui caractérise la jeunesse occidentale. Cette appréhension m'a été traduite par une mère : « Lorsque mon mari voit sa

(5) Bourdieu (P.), *op. cit.*, p. 83.

fille marcher dehors, il est pris de rage, il me dit : regarde, regarde, on dirait une pute » ; « il aurait voulu la mettre sous cloche pour qu'elle ne bouge pas ».

« Un être pour autrui », « un corps pour autrui ». Très tôt, il lui est inculqué l'idée que, sans un mari, elle n'est rien. Il lui faut donc adopter une attitude convenable pour l'avoir et toute une statégie pour le garder. La femme apprend très tôt une sorte de trompe-la-mort qui est la séduction.

« La discipline, c'est aussi apprendre à se mouvoir, à se regarder, à se taire, et découvrir que la règle de la vie, la chance et la force (la baraka donc) s'appellent aussi séduction. La séduction défiant la mort, n'est-ce pas dans les mille et une nuits ce qu'enseigne le mythe de Shéhérazade, exposée à la seule alternative de séduire ou mourir ? » (6)

Séduire ou mourir, tel est le destin de cet être-corps dans une société qui ne prévoit pas d'alternative pour la femme. Dès que s'éteint le désir du maître ou se détourne son regard, le corps se ratatine et le monde bascule. Boudjedra rend de façon étonnante cet effondrement de la femme répudiée. « Solitude, ma mère ! A l'ombre du cœur refroidi par l'annonciation radicale, elle continuait à s'occuper de nous. Galimatias de meurtrissures ridées - sexe renfrogné. Cependant, douceur ! Les sillons que creusaient les larmes devenaient plus profonds. Abasourdis, nous assistions à une atteinte définitive. En fait, nous ne comprenions rien. Ma ne savait ni lire ni écrire ; elle avait l'impression de quelque chose qui faisait éclater le cadre de son propre malheur, pour éclabousser toutes les autres femmes répudiées en acte ou en puissance » (7).

« Ainsi ficelées dès leur naissance dans la tradition, elles gardent leurs liens jusqu'à la mort. Au fil des ans, elles s'y font et si, petites filles, elles ont envié les garçons, le souvenir de la libération a tôt fait de s'éteindre. Ainsi passent-elles leur vie à côté de l'histoire - la leur, celles des autres - elles n'ont en partage, que les petites histoires de tous les jours, leur existence baigne dans la gratuité et l'anecdote ; sans problèmes, elles n'en posent à per-

---

(6) Fekkar (Y.), *op. cit.*, p. 139.
(7) Boudjedra (R.), *La répudiation*, éd. Denoël, Paris, 1969, p.43.

sonne, elles meurent comme elles ont vécu, sans bruit. Mais ont-elles jamais vécu ? » (8)

Nous verrons sur le vif, si nous nous permettons l'expression, à partir de trois histoires de cas, l'action nivelante de l'entourage sur la petite fille. Cette intervention se fait par l'intermédiaire des femmes, et en premier lieu de la mère, qui est amenée de ce fait, à un moment donné de l'histoire de l'enfant, à ne plus assurer son rôle de barrière protectrice.

Il serait intéressant de pouvoir déterminer le moment de cet empiétement de la tradition sur les capacités toutes neuves et naissantes de l'enfant ; ou plutôt le moment où la mère se laisse traverser par l'environnement. Ce qui nous renverrait immanquablement à sa propre histoire, et nous permettrait de faire la part du culturel et la part du traumatisme.

---

(8) M'Rabet (F.), *op. cit.*, p. 63.

I

LE SILENCE, LA PEUR, LA PUDEUR

Sékina, sept ans, est accompagnée par sa mère. Elle présente une lettre du médecin scolaire, où il est fait mention de difficultés d'expression en français, sans doute liées au bilinguisme.

Cependant, ce qui semble avoir retenu l'attention du médecin, c'est le fait que Sékina soit très timide et peu épanouie. Le même qualificatif aurait valu pour la mère. Dès le premier entretien, elle expédie en quelques mots la problématique de sa fille, et utilise la majeure partie de la séance pour raconter son histoire. J'utilise à dessein les termes « raconter » et « histoire », car il s'agit de l'histoire dans laquelle elle s'est trouvée prise, et qui aurait pu être celle de n'importe quelle Algérienne aux prises avec son destin de femme, dans ce type de société. C'est pour cela que je tiens à l'exposer complètement.

Nous verrons que lorsque Mme D. commence à parler d'elle-même, donc à sortir de cet enlisement dans le discours de l'Autre pour devenir le sujet de son propre discours, elle va s'enfuir, car le risque est devenu trop grand. Il est celui de déborder le cadre de vie qui est assigné de tout temps à la femme arabe, et de rejoindre le lot des exclues (1). Mais Mme D. ne s'en ira pas avant d'avoir « dit » (2) par trois fois sa « folie ». « Elle ne se sent pas libre intérieurement », et c'est folie, pour une femme élevée selon la tradition, que d'éprouver un tel sentiment.

La femme libre est dite « matlouga », littéralement sans liens, sans parenté mâle pour la défendre et la protéger et donc socialement inexistante. Alors que la femme idéale, recherchée à des fins de mariage pour être « um-al-awlad »,

---

(1) Chapitre XII : Du statut de protégée à celui d'exclue.
(2) Khan (M.), « Personne ne peut dire sa folie », in *NRP*, n° 23, 1981, pp. 83-115.

la mère des enfants, doit être « muhsina », défendue et protégée, donc entravée et soumise.

Nous verrons donc, au cours de cet exposé, comment Mme D. va utiliser le cadre analytique, pour vivre le conflit entre son être profond qui veut accéder à la liberté ou tout au moins *se dire*, et son être social, qui tend à étouffer en elle toute créativité et toute vie, si l'on considère, comme D.-W. Winnicott, que « la créativité est inhérente au fait de vivre » (3).

P. Bourdieu nous donne un aperçu de cet être social, qui est très tôt façonné par l'intervention de l'entourage sur l'être en devenir qu'est le petit enfant. « L'apprentissage culturel tend à réaliser de véritables montagnes psychologiques, qui ont pour fin, apparemment, de garantir contre l'improvisation ou même de l'interdire, tout au moins d'imposer à la pensée ou au sentiment personnel une forme impersonnelle. En ces formules, s'exprime toute une philosophie, faite de dignité, de résignation, de maîtrise de soi, philosophie qui, à être sans cesse répétée et agie, pénètre jusqu'aux tréfonds le comportement et la pensée. Si l'on songe que la plupart de ces expressions sont des professions de foi, et qu'en elles s'affirme une sagesse conforme à la vision musulmane du monde, on comprend peut-être mieux que l'empreinte de la religion soit aussi profonde. En effet, la "politesse" n'est pas seulement savoir-vivre, mais *art de vivre. La hishmah*, par exemple, à la fois dignité et réserve, interdit l'exhibition du moi et de ses sentiments intimes. Tout se passe comme si les rapports avec autrui - et même à l'intérieur de la famille - devaient nécessairement être médiatisés par la culture, comme si la personne, en son unicité originale, devait s'effacer derrière le masque de la convention qui, identique pour tous, abolit l'individualité dans l'uniformité et la conformité » (4).

Il serait légitime de savoir de qui va-t-il s'agir au cours de ce travail ?

- De Sékina, qui présente des difficultés réelles de communication, avec une attitude de repli sur un mode défensif et une inhibition intellectuelle ?

---

(3) Winnicott (D.W.), *Jeu et réalité, l'espace potentiel*, éd. Gallimard (1971), 1975, pour la traduction française, p. 95.
(4) Bourdieu (P.), *op. cit.*, pp. 84-85.

- Ou de la mère, qui semble très désireuse de parler de sa souffrance ?

J'ai opté pour les voir ensemble, du moins dans un premier temps, pour qu'une rencontre puisse avoir lieu entre elles deux. Car non seulement Mme D. parle très peu à sa fille, mais elle ne la regarde pas. Je constate qu'au cours du premier entretien, j'ai écrit trois lignes concernant Sékina en début de page et trois lignes en bas de page. C'est sans doute un rappel de ma part, invitant la mère à parler de sa fille, mais malgré cela, elle arrive difficilement à en parler de façon distinctive. Elle l'englobe régulièrement à cet ensemble que sont pour elle ses enfants : « Tous mes enfants sont comme ça, ils ont parlé tard », « Mes enfants ne bougent pas, c'est comme ça que je les éduque ». Sékina semble être prise dans la dépression de sa mère, tout au moins elle adopte la même attitude prostrée, le même regard dans le vague, plus le refus d'utiliser sa langue et ses mains. A mes questions, elle répond invariablement et d'un air vindicatif : « Je ne sais pas », « je ne sais rien ».

Pour ces différentes raisons, il m'a semblé nécessaire que la mère parle devant sa fille, qu'une aire de jeux et de mutualité puisse se rétablir entre elles deux. Selon D.-W. Winnicott, « la psychothérapie se situe en ce lieu où deux aires de jeu se chevauchent, celle du patient et celle du thérapeute. En psychothérapie à qui a-t-on affaire ? A deux personnes en train de jouer ensemble. Le corollaire sera donc que là où le jeu n'est pas possible, le travail du thérapeute vise à amener le patient d'un état où il n'est pas capable de jouer à un état où il est capable de le faire » (5).

Pourquoi avoir pensé d'emblée au jeu, source de créativité, lorsque je regardais Mme D. et sa fille ?

C'est apparemment ce qui faisait le plus défaut dans ce couple mère-enfant, mais en plus elles s'en défendaient. L'interdit venait de la mère, et était appliqué avec une extrême rigueur, aussi bien à sa personne qu'à son enfant. En témoignait leur tenue, qui laissait peu de jeu au corps, leur réticence et leur recul à chacune de mes propositions qui consistait à se laisser aller au jeu de l'improvisation dans le dessin ou dans l'utilisation du matériel de jeu.

---

(5) Winnicott (D.W.), *op. cit.*, p. 53.

Je signalerai aussi quelques remarques concernant le déroulement de cette psychothérapie, qui a duré neuf mois, à titre d'une séance par semaine. Il y a eu, cependant, de multiples absences, liées aux fréquentes maladies de la mère, mais aussi aux invités non moins fréquents qui venaient d'Algérie. Elle devait les recevoir selon la coutume, en étant tout le temps présente et disponible. Il y a eu aussi la réticence du père que je n'ai jamais vu. Il considérait, selon les dires de la mère, ce genre de travail comme étant du « baratin » ; des paroles de femmes entre une psychothérapeute algérienne, sa femme et sa fille.

Sékina est l'image même de la petite fille sage, sa robe est bien repassée, ses cheveux sont bien tirés en arrière et maintenus par un ruban. Elle ne bouge pas de sa chaise, elle ne parle pas et n'utilise pas les feutres et les feuilles de papier qui sont à proximité.

La mère présente le même aspect : les cheveux bien tirés en arrière et ramassés en chignon, le visage lisse et pâle, le regard noir un peu trop brillant et comme perdu dans un rêve, le corps serré dans un manteau noir.

A propos de Sékina, elle dit qu'« elle est très timide, elle ne parle pas beaucoup, mais tous mes enfants sont comme ça, ils ont parlé tard, elle a été en Algérie cet été, et elle a bien appris l'arabe ». « J'ai trois enfants. A la naissance du dernier, je me suis fais faire une ligature des trompes, parce que mes accouchements sont très difficiles, et puis je ne voulais pas avoir plus de trois enfants. Je me suis mariée traditionnellement. Quelque temps après le mariage, mon mari est revenu travailler en France.

Je suis restée chez ma belle-famille huit mois sans voir ma mère. Mais je savais que je devais tout accepter et me taire, si je voulais rester.

Ma mère a été veuve à l'âge de trente ans et a dû travailler pour nous faire vivre. Elle était sévère et ne riait jamais, ce qui n'est plus le cas actuellement. Elle est plus détendue, plus souriante et même coquette, elle me pousse à l'être aussi, mais je n'arrive pas. Il y onze ans de différence entre mon mari et moi, je m'entends bien avec lui, mais *je ne suis pas libre intérieurement*.

Je donne tout à mes enfants, je les habille bien, je leur donne bien à manger, mais je ne supporte pas qu'ils bougent.

Ce que j'ai remarqué, c'est lorsque je laisse Sékina sortir, elle est comme une sauvage, elle ne veut plus rentrer à la maison ».

Il me semble que ce premier entretien mérite qu'on s'y attarde un peu. Ainsi, pour l'école, le fait que Sékina ne parle pas et soit un peu « trop sage » est vécu comme un handicap sérieux pour sa scolarité et certainement le signe de difficultés relationnelles. D'où son orientation vers une structure telle que la nôtre pour une approche thérapeutique.

Pour la mère, le silence de Sékina est au contraire le signe d'une éducation réussie. L'apprentissage du silence et de l'immobilité aux enfants dans la culture algérienne est le signe d'une personne qui sait « tenir » ses enfants, et en général qui sait aussi « tenir » son intérieur. Par opposition à ce type de femme active, il existe un autre type, plus représentatif culturellement et qui est caractérisé par l'impression qu'elle donne (à autrui) d'être souvent envahie. Elle est souvent enceinte, et même lorsqu'elle ne l'est pas, elle en garde l'aspect à cause de son ventre qui reste proéminent. Précédée par son ventre et souvent par cinq ou six enfants, elle a beaucoup de mal à contenir l'un et se faire entendre des autres.

Chez Mme D., nous sommes en présence de la tendance active qui se manifeste par le besoin de maîtrise. Elle limite définitivement le nombre de ses enfants à trois, en se faisant faire une ligature des trompes à l'âge de vingt-six ans et demi. Ce besoin de maîtrise va aller jusqu'à l'encontre de la vitalité de ses enfants. Elle ne va pas supporter de les voir bouger.

Contrairement à l'école, Mme D. s'inquiète de la vitalité de Sékina, qu'elle qualifie de sauvage lorsqu'elle la libère pour aller *jouer* dehors. Le mot sauvage évoque ce par quoi elle est travaillée intérieurement, et qui semble être une forte pression de ses pulsions libidinales. Elle essaye désespérément de leur mettre la bride en opérant un certain nombre de déplacements : en premier lieu sur ses enfants qu'elle va immobiliser, puis sur son ventre qu'elle va « nouer », - ceci est une expression algérienne à propos de la femme stérile dont il est dit qu'elle a le « ventre noué » - enfin sur sa maison qu'elle veut propre, ordonnée et silencieuse.

Freud dit : « Si maintenant nous abordons la question de savoir quelles sont les circonstances capables d'empêcher le principe de plaisir d'entrer en vigueur, nous nous retrouvons en terrain ferme et connu et nous pouvons puiser largement dans notre expérience analytique pour formuler une réponse. Le premier cas où l'on rencontre une telle inhibition du principe de plaisir nous est bien connu ; il est dans l'ordre » (6).

Mme D. semble vivre dans un univers aseptisé où tout est bien, « elle s'entend bien avec son mari », « elle habille bien ses enfants », « elle leur donne bien à manger », mais « elle ne se sent pas libre intérieurement » et « il ne faut pas que ses enfants bougent ».

Il y a une sorte de revanche prise sur les enfants qui peut se résumer ainsi : « je ne suis pas libre, alors ils ne le seront pas non plus ». Les garçons vont lui échapper nécessairement à un moment donné, mais la fille va être la victime désignée culturellement. Mme D. va donc opérer sur elle cette mutilation dont elle a été elle aussi l'objet.

Première phase du traitement :

Sékina continue à accompagner sa mère, elle semble en visite avec son air de petite fille très sage, les mains sur les genoux, silencieuse et parfois même absente. Sa mère parle et dit justement : « mes enfants ne bougent pas, c'est comme ça que je les éduque, je les laisse souvent seuls et sors faire mes courses. Je compte beaucoup sur la grande (Sékina) ». Ça lui rappelle sa mère qui a été très stricte et dure avec elle et ses sœurs. Maintenant que son fils a grandi, travaille et s'est marié, elle est devenue plus épanouie.

Mme D. ne suit plus la mode depuis son mariage, elle est devenue stricte, les coutumes sont très importantes pour elle : « de toute façon, j'ai été éduquée pour tout accepter, tout supporter ».

Elle se plaint d'une trop grande nervosité, pour laquelle elle a souvent consulté les médecins qui lui ont donné jusqu'alors des tranquillisants. Elle ne peut dormir parce qu'elle pense « à des choses et des gens pour qui elle n'a aucun intérêt » sans expliciter davantage quelles sont ces choses ni qui sont ces gens. Elle répète seulement qu'elle

(6) Freud (S.), *Essais de psychanalyse*, Pbp 44, Paris, 1981, p.46.

ne peut s'empêcher d'y penser et parle souvent à voix haute.

Elle a commencé à se déprimer à la naissance de Sékina : « Beaucoup d'idées me venaient en tête, je me suis mise à penser à des choses pour qui je n'ai aucun intérêt. *C'est à ce moment que j'ai ouvert ma porte aux témoins de Jéhova.* Je les ai reçus en cachette de mon mari et j'y ai cru pendant deux ans et demi. Ces femmes me parlaient beaucoup, m'expliquaient tout, alors que dans notre religion on ne nous explique rien. Mais j'ai fini par tout dire à mon mari, il m'a interdit d'y croire. Depuis, je n'y crois plus. *Je suis libre de sortir, de faire mes courses, de m'habiller, mais je ne suis pas libre dans mon cœur. Car lorsqu'on est libre dans son cœur, les hommes n'aiment pas ça, et on n'arrive pas à se marier, même si on est belle.* C'est le cas de mes voisines. Ce sont des filles très jolies, s'habillent à la mode, se maquillent, parlent aux hommes librement, mais elles n'arrivent pas à se marier. »

Puis suivra toute une série de séances où Mme D. va s'absenter. Sékina va venir seule. A toutes mes propositions elle oppose sur un ton énergique, « je ne sais pas », « je ne sais rien », « je ne pense pas ». Cependant, elle consent à sortir de ses retranchements lorsque j'utilise une marionnette pour lui parler. Elle en prend une, elle aussi, et dit : « je répare les maisons... parce que ça me fait du bien ». J'apprends ainsi que son père est maçon, et qu'elle répare des maisons comme lui. A ce moment-là je fais allusion à la tristesse de sa mère et à son désir de la réparer, comme elle le ferait pour les maisons. Elle semble aussi exprimer son identification à son père, et par conséquent son désir de prendre sa place auprès de sa mère.

Mme D. revient, mais elle, comme sa fille, semblent fatiguées. Toutes deux ont consulté le médecin. La mère est grippée et la fille a une otite. Toutes les deux ont la même attitude : elles sont assises le dos recourbé, le regard lointain, l'air prostré. Je dis que ça me semble être une fatigue qui vient de très loin, ce à quoi Mme D. répond : « On est toutes comme ça dans la famille. Quand ma mère était fatiguée, il fallait que tout le monde le sache, en plus ça revenait régulièrement. Quand elle était fatiguée elle ne savait quoi faire, moi aussi, je me sens gênée. » Puis suit un long silence. Je tends une feuille à Sékina, elle réagit violemment en disant « je ne sais pas ». Je propose à la mère de faire quelque chose avec sa fille à partir du papier-crayon. Elle a les mêmes paroles que sa fille : « je ne sais pas ». J'esquisse alors une forme sur la feuille, ça évoque en elle un chemin, elle trace un trait parallèle et dit c'est la barrière d'une ferme. Puis elle dessine une grande maison, la ferme de sa famille paternelle où elle a vécu très heureuse jusqu'à l'âge de onze ans avec ses parents, ses tantes, qui étaient très gentilles avec elle. Elle prend beaucoup de plaisir à s'en souvenir. Sa fille, comme moi, en ressentons quelque chose du même ordre.

A partir du moment où Mme D. a pu évoquer cet épisode particulièrement heureux de sa vie et le *partager* avec nous, Sékina a commencé aussi à se dégeler et sortir de sa léthargie, à s'autoriser à vivre. Elle s'est mise à parler elle aussi, mais elle l'a fait à la manière d'une enfant dont la parole a été longtemps interdite. D'où la panique de Mme D. qui, à la séance suivante, me dit : « Sékina parle maintenant, mais ce qui est gênant, c'est qu'elle parle devant les étrangers, les invités. » Elle me demande alors s'il ne va pas falloir l'enfermer ou lui donner à manger seule quand elle reçoit.

- Et pourquoi tout cela ?

- Parce que c'est comme ça.

Elle se rappelle que c'est comme ça qu'on l'a éduquée. « Très tôt, on m'a interdit de parler, de m'exprimer devant ma mère, ensuite devant mon mari. Une fois, une voisine m'a dit de ne pas me laisser complètement étouffer par mon mari. J'ai essayé de réagir, de lui répondre, il m'a cognée contre le mur. Depuis, je ne l'ai plus refait. »

Elle revient à la charge, à la séance suivante, et estime que pour étudier il ne faut pas que Sékina sorte jouer dehors. *Il ne faut pas qu'elle prenne goût dès maintenant aux sorties.*

Elle rapporte le fait suivant : Sékina s'est fâchée cette semaine et a refusé de manger. Son père a réagi en disant « tant pis pour elle, ce n'est pas mon ventre, mais le sien ». La mère a été étonnée que le père ne soit pas plus énergique, en lui interdisant de bouder. Elle lui dit : « Imagine qu'elle fasse ça quand elle sera mariée. » Ce à quoi le père a répondu : « Pourvu qu'elle lui prépare à manger et qu'elle le serve, après elle n'a qu'à être mécontente si ça lui plaît. »

Mme D. a peur que Sékina vive dans une belle-famille qui n'accepte pas ses mouvements d'humeur. Aussi, l'éduque-t-elle en conséquence, à être comme elle, qui accepte tout, supporte tout. Je lui souligne l'aspect nivelant de l'éducation qu'elle donne à sa fille. La violence avec laquelle elle l'applique, dénote un esprit revanchard. Il n'est plus question d'une mère et de son enfant, mais d'une enfance malmenée, réveillée par un enfant. Elle réagit vivement, en me disant : « Mais que faire, vous savez, dites-moi », révélant par là l'incapacité à réfléchir dans laquelle elle se trouve, prise dans un processus de répétition, mais aussi de défiance par rapport à une démarche personnelle, elle est prête à faire comme je lui dis, à obéir encore.

Elle reste perplexe devant mon attente que quelque chose puisse venir d'elle. Elle hésite, puis poursuit l'histoire de tant d'autres femmes. Ainsi, elle a refusé de sortir avec son mari en ville, ce samedi, parce qu'elle a peur de rencontrer, dévoilée, des hommes de Mostaganem.

Elles ont été absentes pendant deux séances, car il y a eu encore une fois des invités d'Algérie. « C'est d'ailleurs, toujours comme ça », dira Mme D. Sékina poursuit son évolution et s'extériorise de plus en plus. Sa mère arrive à l'éloigner des adultes, en lui confiant la garde de ses frères, bien qu'elle ne les aime pas : mais elle ne dit plus cela devant son père, parce qu'elle en a peur. Le mot prend une consistance particulière à travers la mimique de Mme. D. Elle insiste en disant : « Je lui ai appris à avoir peur », « Une femme qui n'a pas peur, qui n'a pas honte, ne peut pas être une femme », « Un homme qui ne fait pas peur, n'est pas un homme ».

Elles ont encore été absentes parce qu'elles étaient grippées. Mais contrairement à son habitude, Mme D. est bien mise et bien maquillée. Sékina aussi, contrairement à son habitude, demande une feuille pour dessiner, puis elle se met à rire, ce qui met sa mère mal à l'aise. « Je ne comprends pas, dit-elle, Sékina n'a pas l'habitude de rire. » Elle a aussi remarqué qu'elle joue beaucoup, mais pas avec ses frères, qu'elle rejette violemment. Elle refuse de partir en Algérie, parce que « c'est pourri là-bas ». Elle se réveille très tôt, en même temps que son père, « ils prennent souvent le petit déjeuner ensemble, particulièrement quand je suis malade, mais je le lui interdis quand c'est moi qui me réveille pour préparer le petit déjeuner ».

Selon l'instructrice, les performances scolaires de Sékina s'améliorent, malgré quelques difficultés en orthographe. Elle conseille à la mère de parler beaucoup avec sa fille, ce que Mme D. dit ne pas pouvoir faire : « Lorsque j'étais adolescente, j'aimais beaucoup les enfants et je jouais beaucoup avec eux. Maintenant avec les miens, je ne trouve rien à leur dire et je n'éprouve pas le désir de jouer avec eux, même quand leur père s'amuse avec eux, ça me dérange. J'ai peur qu'il ne les perturbe, qu'il ne désorganise le travail d'éducation que j'ai fait avec eux. J'aime l'ordre, le silence, la propreté, je veux que rien ne bouge. »

Sékina dessine de plus en plus spontanément. Elle commence toujours par une maison. Au début, ses maisons étaient adossées contre la bordure de la feuille, et, de ce fait, il n'y avait que la moitié ou les trois quarts qui apparaissaient. Maintenant, sa maison est bien plantée dans l'espace, bien à l'avant de la feuille, bien plus élaborée, colorée, ses fenêtres habillées. Tout autour de la maison, le paysage est vert, il y a des fleurs et une dame se promène avec une fleur à la main, sans oublier le soleil et les oiseaux. Le souci du savoir est présent et se manifeste par le fait qu'elle écrive le nom de chacun des éléments dessinés. Par contre, Mme D. devient de plus en plus silencieuse. Elle dit vers la fin de la séance qu'elle fait un début d'ulcère et avoue ne rien remarquer quant à l'évolution de sa fille et ses deux autres enfants : « Je ne m'en occupe pas. Je les habille, je leur donne à boire et à manger, mais le reste du temps, je ne les vois pas. Je ne m'occupe que de moi-même. Il m'arrive souvent de parler à voix haute. »

Sékina vient sans sa mère, mais avec une cousine. Elle insiste pour que celle-ci reste avec elle. Elle parle de sa relation conflictuelle avec ses frères et l'exprime ainsi : « Ils ont des mitraillettes et me battent avec. Moi, je n'ai rien, je n'ai qu'une poupée. » Je relève le « je n'ai rien », et lui dis : tu veux dire que tu n'as rien parce que tu es une fille, alors que tes frères ont quelque chose en plus que tu n'aurais pas ? Elle détourne le regard et se met à dessiner une grande maison centrale. A la place de la porte se trouve une fille, la grande maison étant encadrée par deux maisons plus étroites.

Mme D. revient avec Sékina. Elle se sent fatiguée, malgré le fait qu'elle dorme beaucoup, elle fait beaucoup de rêves. Elle me raconte les deux derniers :

Le premier :

« Je rencontre une amie d'enfance, on s'était mariées à une semaine d'intervalle, elle me demande de lui raconter mon mariage. »

Le deuxième :

Elle précise qu'elle le fait souvent. « Je suis sur le point de tomber dans une rivière, mais je me réveille en sursaut. » Elle me dit, en insistant : « mais je ne tombe pas ».

Le premier rêve semble plus en rapport avec la situation psychothérapeutique et traduit le transfert positif à l'égard du thérapeute. Il nous révèle aussi la démarche de Mme D. au cours de cette première étape où elle a surtout raconté son mariage, ou plutôt sa désillusion concernant cette situation. Il est à noter qu'il s'agit d'une situation beaucoup plus envisagée sous l'angle de l'accès à un nouveau statut, plutôt que d'une relation avec une autre personne. La nuance est de taille, car le mariage n'est pas envisagé comme une relation à deux, donc comme quelque chose d'éminemment dynamique et sujet à évolution, mais comme un état où l'on est soit heureux, soit malheureux. Nous nous référons à une sociologue qui illustre un peu mieux cette attente à l'égard du mariage : « L'une des préoccupations de mon père a été la recherche du moyen le plus efficace pour me retrancher des influences extérieures qui pouvaient me parvenir, et la lecture des romans m'était interdite. J'ai toujours été soumise à des interdits, sans qu'on prenne la peine de me les expliquer. Du reste, je ne m'aventurais jamais à poser des questions : "Tu oses lever la tête devant ton père ?", me lançait ma mère. Qui a vécu cette vie, comprendra pourquoi c'est vers le mariage que la fille portera ses aspirations, tout au long de sa vie au foyer paternel. Pour elle, il incarne la délivrance : sortir de cet enlisement, ne pas avoir honte d'être une femme, ne pas fuir comme une coupable devant l'homme. C'est le mariage, croit-elle, qui va lui permettre de réaliser ses aspirations - être une épouse idéale, c'est-à-dire docile et attentionnée » (7).

Cette situation ne peut qu'être racontée, et c'est ce

(7) Zerdoumi (N.), *op. cit.*, p. 188.

qu'avait fait Mme D., c'est pour cela qu'elle ne dit rien de ce rêve. Par contre, en ce qui concerne le second, elle associe d'elle-même, en disant : « J'ai commencé à aller mal à la suite de ma rupture avec ma tante maternelle. Cette tante vit en France et a continué à m'exploiter durement, comme lorsque j'étais petite. Je continuais à lui obéir, malgré que je sois mariée, je n'arrivais pas à me révolter. »

La séance suivante, Mme D. revient l'air toujours aussi épuisé, le dos recourbé, le regard fixe. Elle se demande d'où lui vient cette fatigue. Je lui rappelle ce qu'elle avait déjà dit. Sa mère, à la suite de la mort de son père, les a amenés à Mostaganem. Là, elle est devenue très dure, ne souriait plus et se plaignait souvent de fatigue et de maux de tête. Qu'exprimait-elle par cette fatigue, qu'elle ne pouvait exprimer par la parole ou le comportement ? Sur ce, Mme D. s'anime et parle longtemps de leur passage d'une vie à la campagne, dans une grande ferme auprès de tantes très gentilles, à une HLM en ville avec une tante maternelle et son mari. Sa mère les avait hébergés, parce qu'elle avait besoin d'un homme à la maison. Sa mère et sa tante étaient très exigeantes vis-à-vis d'elle, et dès, l'âge de treize ans, elle devait se réveiller très tôt pour pétrir le pain, laver la vaisselle avant d'aller à l'école, être responsable de ses sœurs et son frère...

Il me semblait qu'on était en train d'inaugurer un nouveau type d'approche, ce que je fis entendre à Mme D., et lui proposais de la voir seule de façon plus intensive.

Quant à Sékina, ses dessins étaient de plus en plus gais et élaborés, ses résultats scolaires s'était nettement améliorés, ainsi que son ouverture sur le monde extérieur. Rassurée par le fait que je pouvais la relayer, elle s'autorisait à abandonner le rôle qu'elle jouait auprès de sa mère et qui consistait à la réparer en adoptant la même attitude qu'elle. J'ai envisagé de maintenir pour elle une aide au niveau psycho-pédagogique et, éventuellement, si elle en manifestait le désir, une psychothérapie.

Plusieurs séances passèrent, sans que j'eusse de leurs nouvelles. A la fin du mois, je reçus la voisine de Mme D. ; celle dont elle disait qu'elle était très jolie, mais n'arrivait pas à se marier, parce que libre. Cette jolie voisine m'annonce qu'elle vient de la part de Mme D., qui me demande de « fermer le dossier ». Devant ma perplexité, elle me répète seulement que je dois fermer le dossier. Elle ne semble pas en savoir plus. Mais, par contre, la procédure qu'a utilisée Mme D. est très parlante. La jolie voisine, qui a été utilisée à son insu, me disait en fait : Si Mme D. persiste dans son évolution vers une plus grande ouverture et vers la liberté, elle risque la répudiation, et plus tard sa fille risque le célibat comme moi.

Le double déracinement

Cette conclusion, qui appuie sur le versant culturel, ou plutôt m'y ramène, au moment où je pensais rencontrer Mme D. autour de sa réalité psychologique, me force à me rendre à l'évidence. Le recours aux thèmes culturels, auxquels fait référence constamment Mme D., n'est pas là comme un écran voilant le symptôme, mais c'est le symptôme lui-même. Si par son omniprésence, la réalité de la transplantation n'a pas été parlée, ses effets sont néanmoins là, et incontournables, si l'on considère, comme le fait G. Devereux, que : « La culture est un système standardisé de défenses, et, par conséquent, solidaire au premier chef du Moi » (8).

Nous avons donc affaire, ici, à une fragilisation du Moi, liée au caractère inopérant de ses anciennes défenses qui, valables dans son environnement d'origine, ne le sont plus dans un contexte culturel différent. Selon Zulmiro De Almeida, « la pathologie de la transplantation est une pathologie du Moi, en conflit avec le nouvel environnement. Il ne s'agit pas d'une pathologie du Moi « faible », mais du « Moi » fragilisé par le déracinement... Dans la mesure où le Moi dépend physiquement de l'entourage, un Ego jusqu'ici fort peut devenir fragile, si le milieu change » (9).

Mme D. était donc en train de vivre les difficultés inhérentes à la transplantation dans un pays dont les traits culturels s'opposent souvent point par point à la culture arabo-islamique. Ainsi, si l'on considère la place de la parole dans les deux cultures, nous comprenons que Mme. D. ait été poussée par l'école française à venir consulter,

(8) Devereux (G.), *Essais d'ethnopsychiatrie général*, Ed. Tel Gallimard, Paris, 1983, p. 91.
(9) De Almeida (Z.), « Les perturbations mentales chez les migrants », in *L'information psychiatrique*, vol. 51, n° 3, mars 1975, p. 255.

parce que Sékina ne parlait pas. Elle n'aurait jamais fait cette démarche, puisque le silence est une vertu dans la culture arabe, qu'elle enseigne activement à sa fille. Alors qu'il est vécu dans la culture française comme une inhibition de la parole, d'origine psychologique, donc un symptôme pour lequel il faut consulter.

P. Bourdieu nous donne un aperçu de l'attitude des deux sociétés à l'égard du langage : « Alors que notre civilisation use du langage d'une façon immodérée et même inconsidérée, la civilisation nord-africaine en fait un usage parcimonieux et contrôlé, interdit que l'on parle de n'importe quoi en n'importe quelle circonstance, les manifestations verbales étant limitées à certaines occasions et, là, façonnées et ménagées par la culture. Ainsi se dessine un style de vie, fondé sur la pudeur qui dissimule aux autres la nature et le naturel, qui donne au plaisir du verbe et au goût du geste mesuré la précellence sur la recherche de l'expression neuve et le souci d'agir » (10).

Cependant, cette description, si juste soit-elle, concerne davantage le mode de vie citadin que la vie à la campagne. Or, Mme D. a vécu jusqu'à l'âge de onze ans à la campagne. Elle se rappelle avoir été heureuse, entourée, aimée et sûrement libre. Les contraintes ont commencé avec la première immigration de la campagne à la ville. C'est là qu'a commencé pour elle l'initiation aux modèles de conduite culturellement en vigueur, qui font de la femme un être soumis à l'homme. Et c'est la mère et la tante, comme nous l'avons vu précédemment, qui se sont chargées de cette misssion d'initiation à la culture. En ce qui concerne Mme D., cet apprentissage s'est fait tardivement, à l'âge de treize ans et sous la houlette d'une tante très exigeante et d'une mère dépressive, à la suite de la mort de son mari.

De cette mort, Mme D. n'en parle jamais, si ce n'est par allusion, lorsqu'elle nous dit que sa mère est devenue veuve à l'âge de trente ans ; ou bien lorsqu'elle parle des événements qui en ont découlé et ont provoqué leur départ de la ferme.

Il y a eu donc une première rupture dans son existence, elle a déjà fait l'expérience de la transplantation.

Pour Zulmiro De Almeida, l'expérience de la transplantation est inhérente à la vie, et nous serions tous en quel-

---

(10) Bourdieu (P.), *op.cit.*, p. 85.

que sorte des migrants : « D'une certaine façon, on peut comparer la transplantation aux périodes critiques de l'existence, lorsque s'établit un nouveau rapport de forces entre le Moi et la réalité. On peut ainsi la rapprocher des situations vitales dont l'individu sort "ré-socialisé" : passage de la vie active à la retraite, du célibat au mariage, de l'adolescence à l'âge adulte, de la relation bipolaire enfant/mère à la relation triangulaire » (11).

Il est plutôt question ici de mutations internes, qui se produisent dans un cadre culturel qui reste stable. Alors que Mme D. a dû faire, à deux reprises, l'expérience d'un bouleversement au niveau de ses repères socio-culturels. Une première fois, lorsqu'elle est passée d'un mode de vie campagnard à un mode de vie citadin, puis une deuxième fois, lorsqu'elle est passée d'une culture maghrébine à tradition islamique à une culture occidentale à tradition chrétienne.

Z. De Almeida nous parle de certaines conduites des transplantés, qui seraient des tentatives pour préserver l'intégrité de la personne. « Le transplanté au Moi défaillant force souvent ses traits personnels et socio-culturels jusqu'à la caricature, dans la tentative de surmonter les obstacles rencontrés. Soumis encore au poids de ses traditions, il se cramponne d'autant plus à son identité d'origine » (12).

En ce qui concerne Mme D., cela se joue à un double niveau. Les traditions deviennent très importantes, parce qu'elle se sent investie du devoir d'initier sa fille à la culture traditionnelle. Mais à travers l'éducation rigide qu'elle lui donne, il nous semble que c'est sa propre éducation qu'elle est en train de refaire, ou plutôt ce sont ses défenses qu'elle est en train de restaurer.

Cependant, l'expérience de la transplantation, en dehors du vertige qu'elle peut occasionner au Moi en le délestant de ses points d'appuis, est aussi une occasion pour Mme D. de renouer avec le souvenir de la liberté, mais en même temps avec le souvenir cuisant de l'avoir perdue, lorsqu'elle voit d'autres femmes libres. Car cette femme a fait l'expérience d'une mode de vie créatif, au sens où l'entend D.W. Winnicott, et c'est à partir du moment où elle a pu se

---

(11) De Almeida (Z.), *op. cit.*, p. 256.
(12) Ibid., p. 257.

le rappeler et l'intégrer dans son histoire, que sa fille s'est autorisée à parler et à vivre.

« Je ne suis pas libre intérieurement. » Cette phrase clef que Mme D. dira dès le premier entretien, puis une deuxième fois au milieu du traitement, puis à la fin pour clore sa thérapie, n'est pas uniquement lié à son mari ou au mariage, mais plutôt à ce réseau d'interdits très tôt tissé autour d'elle par son entourage, comme elle est en train de le faire pour sa fille. Sa véritable prison, c'est elle-même ou presque, puisque, en ce qui la concerne, l'être social n'a pas réussi à étouffer complètement son Moi, qui se manifeste justement par cette souffrance. Nous approchons, par là, un point central de notre réflexion, qui touche à la créativité dans une société qui vit toute innovation comme une *bidaâ*, autrement dit comme un grave manquement aux coutumes et à la tradition.

Parlant de la créativité, D.-W. Winnicott nous invite à l'envisager dans son acception la plus large, sans l'enfermer dans les limites d'une création réussie ou reconnue, mais bien plutôt en la considérant comme la coloration de toute une attitude face à la réalité extérieure.

D'autre part, il nous dit que « tout événement sera créatif, sauf si l'individu est malade ou s'il est gêné par l'intervention de facteurs de l'environnement, capables de bloquer ses processus créatifs... Il est probablement erroné, quand on envisage le second terme de cette alternative, de penser que la créativité puisse être complètement détruite. Mais quand on lit des témoignages d'individus qui ont été réellement dominés dans leurs foyers, ou qui ont passé toute leur existence dans des camps de concentration ou encore ont subi, leur vie durant, des persécutions politiques, on comprend très vite que seules quelques-unes des victimes parviennent à rester créatives et, bien entendu, ce sont elles qui souffrent » (13).

Pour y avoir souvent été confrontée au cours de ma pratique, je signalerai certaines particularités, concernant l'utilisation de la parole, du cadre psychothérapique et ses équivalents sur le plan culturel. Pour cela, je reviens à cette injonction qui m'a été faite : « Fermez le dossier. »

(13) Winnicott (D.W.), *op. cit.*, p. 95.

Cela ne peut manquer d'éveiller en moi un certain nombre d'associations. Ainsi, j'ai été priée de fermer la bouche, de garder le secret, de rabattre le couvercle sur la tombe et de rester muette comme les lieux saints, les Qoubbas, qui jalonnent la campagne algérienne et constituent pour la femme un lieu pour dire sa folie. « Ne détruisez pas la Ka'aba du pèlerin, disait le poète indo-persan, Faizi, les voyageurs las de la route s'y reposent un instant... », « ne détruisez pas la qoubba du village... » (14) La femme renoue avec son soi malmené, dans ce lieu habité par l'âme d'un Wali Salih. Dans ce lieu saint que j'appellerai l'espace de l'illusion, elle peut tout simplement se recueillir dans le silence et goûter le plaisir d'être. Elle peut pleurer, comme le font certaines, en enfouissant la tête dans les tentures du catafalque, et frapper du plat de la main le sol ou le bois, appelant ainsi le saint à la rescousse de son être en détresse. Dans ses appels, il est souvent question d'être regardée avec sollicitude. Elle peut aussi exprimer sa plainte en sanglots qu'elle fera durer jusqu'à ce que, épuisée mais apaisée, elle retourne à sa vie quotidienne, sûre d'avoir été entendue. Sinon, elle reviendra et renouvellera sa demande jusqu'à ce qu'elle puisse accéder à la sérénité que confère le renoncement à l'illusion, qui est inhérente à ce monde périssable. Elle troquera alors son impatience de vivre dans ce monde de l'illusion, contre la promesse de l'éternité en récompense d'une vie exemplaire, qui pourrait se résumer ainsi : c'est une femme dont on ne voit pas l'ombre, une voix dont on n'entend pas le son, une vie sans histoire. Cette femme existe-t-elle ?

Est-ce à dire que c'est l'utilisation qui est habituellement faite du cadre psychothérapique par les femmes maghrébines ? Je n'oserai aller jusqu'à cette extrémité, qui m'a surtout été suggérée par ce point final riche de sens amené par Mme D.

Cependant, j'ai souvent été confrontée à cette rupture brutale intervenant au cours d'un travail, qui semblait prometteur par la richesse du matériel. Ceci était généralement le fait de femmes mariées et mères de familles. Elles tenaient compte sans doute beaucoup plus que moi de la réalité socio-culturelle, et savaient s'arrêter à temps pour pouvoir continuer d'y vivre.

---

(14) Dermenghem (E.), *op. cit.*, p. 331.

II

LE SECRET

Au cours du brillant exposé d'une thérapie menée avec un jeune adulte, M. Khan s'est attaché à nous montrer comment « l'espace potentiel du secret chez l'enfant, espace où il peut édifier et maintenir la tradition privée d'un soi en train de croître (cf. Khan, 1974), peut se muer et se transformer en dissimulation. La fonction de la dissimulation n'est pas seulement de protéger le soi des empiétements auquels a à faire face un Moi en état d'évolution, mais encore vulnérable ; elle est aussi de protéger les personnes importantes qui assurent les soins dans l'environnement familial de l'enfant. Jonathan a été le témoin d'événements et de conversations dans la vie de ses grands-parents, de son père et de sa mère, qui l'exhortaient tour à tour à ne pas dire et à ne pas partager avec d'autres ce qu'il avait entendu. Ce clivage dans l'expérience de la cohésion familiale devint à l'adolescence sa technique de vie » (1).

Ce que M. Khan présente comme un fonctionnement pathologique d'une famille particulière, dont l'enfant adoptera le comportement comme « technique de vie », ce qui fit de lui un être dissimulé et éparpillé, est, dans le type de société qui fait l'objet de notre étude, un principe fondamental culturellement admis. La bipartition du monde est une réalité de la société maghrébine. Elle détermine, comme nous l'avons vu dans les chapitres précédents, deux espaces, le dehors et le dedans, habités par deux mondes différents, celui des hommes et celui des femmes, avec chacun sa conception de la réalité et son discours sur elle. Je n'entrerai pas dans le détail de ces particularités, car ce qui m'intéresse, c'est le clivage qui existe à l'intérieur d'une famille et souvent à l'intérieur même d'un couple.

(1) Khan (M.), *op. cit.*, pp. 238-239.

Il m'est souvent arrivé de recevoir des couples maghrébins qui consultent pour leur enfant. Le discours tenu par la femme en présence de son mari est totalement différent de celui qui apparaît en son absence. D'autre part, une des fautes à ne pas commettre est de reprendre, en présence du mari, ce qu'a dit sa femme en son absence, même si cela ne semble pas porter à conséquence. Car en fait, comme son corps, le langage de la femme ne doit pas circuler et être entendu par l'homme, fût-il son mari. La rencontre dans la parole inaugure, au-delà de la rencontre des corps, la rencontre de deux êtres, et par conséquent des deux mondes, le masculin et le féminin. Or, ceci est justement ce que semble interdire ce type de société.

Djahida, huit ans et demi, menace justement l'étanchéité de ces deux mondes. Elle est encore à l'âge où elle peut circuler de l'un à l'autre, mais en plus elle menace sa mère de tout dire aux hommes. Mme T. a très peur. Elle va donc accompagner sa fille pendant un certain temps, tout en refusant de s'impliquer dans le processus thérapeutique. Elle m'amène Djahida pour que j'essaye de rétablir une fonction défaillante, qui est celle de garder le secret. Tant mieux si je suis Algérienne, je suis donc musulmane, et censée avoir intégré les principes fondamentaux que sa fille a du mal à recevoir d'elle. Je ne ferai pas un compte rendu détaillé de cette psychothérapie qui dura plus de trois ans, pour m'attacher au développement de cette notion de secret autour de laquelle va s'organiser la thérapie de Djahida. Le secret concernant son origine, la différence des sexes, l'angoisse de castration actualisée par une blessure à la jambe. Sur ces différentes préoccupations va se greffer l'attente de la mère, pour qui Djahida doit savoir garder le secret des femmes et ne pas le dire aux hommes, tout en refusant de l'initier correctement à ce secret.

Le premier entretien

Mme T. présente Djahida comme étant une enfant qui a beaucoup de difficultés à l'école, non par incapacité mais par brusque désintérêt, survenu à la suite d'un accident qui semble lui avoir fait plus de peur que de mal. Elle était sur un escalier mécanique, lorsqu'il s'effondra. Beaucoup de gens autour d'elle se sont affolés, elle aussi, mais en définitive, elle n'a eu qu'une égratignure à la jambe. Depuis cet événement, elle se réveille souvent la nuit en criant : « j'ai peur, j'ai mal ! ». Son sommeil est très agité. « C'était une enfant ordonnée, sage, qui m'aidait beaucoup à la maison. Son maître d'école était très content de son travail scolaire, dit la mère, mais depuis l'accident, elle est devenue désordonnée, agressive ; elle ne veut pas étudier et préfère jouer, dessiner ou se déguiser. »

Mme T., parlant d'elle même, dit qu'elle aussi est devenue très nerveuse et a beaucoup maigri à la suite de la grossesse de son troisième enfant. « C'était une grossesse surprise. » Elle vomissait beaucoup. Les médecins ont pensé qu'elle avait un problème de vésicule biliaire ; aussi, lui ont-ils fait subir plusieurs radios. Lorsqu'ils se sont aperçus qu'elle était enceinte, ils ont eu peur de l'action des rayons sur le fœtus. Certains lui conseillaient de faire une IVG, d'autres lui conseillaient de le garder. Elle a gardé l'enfant, mais durant toute la grossesse, elle a vécu dans l'angoisse d'avoir un enfant anormal.

Restée avec moi, Djahida me dit qu'à l'école, elle ne veut pas jouer avec les garçons, parce qu'ils sont brutaux, turbulents. Elle ne veut pas leur donner la main, parce que les mains des filles sont fragiles.

Elle fait des cauchemars la nuit : « elle voit des requins » et lorsqu'elle ira en Algérie, elle ne se baignera plus, parce que dans la mer il y a des requins qui risquent de la manger. « Quand je fais des cauchemars, je vais dans le lit de mes parents, je me mets au milieu. » Elle reste silencieuse pendant un certain temps, puis elle dit que ce n'est pas bien, qu'elle n'ira plus dormir avec eux, parce qu'ils n'ont que deux couvertures, alors qu'elle en a trois. Elle parle à nouveau de sa peur, parce qu'elle est toute seule. Je lui propose de me dessiner quelque chose en rapport avec ce qu'elle est en train de raconter. Elle dessine le grand lit des parents, tous les deux sont couchés, l'un tournant le dos à l'autre. On ne perçoit d'eux que la tête et le buste. Le bas du corps non seulement n'existe pas, mais la couverture marque à ce niveau un carré blanc.

Dès le début, Djahida met à jour son angoisse concernant ce ventre maternel destructeur, qui risquerait d'engendrer un enfant anormal. L'angoisse réelle de la mère vint réveiller ses angoisses précoces concernant son intégrité corporelle. D'autant plus que son frère cadet (elle est l'aînée de trois) est suivi au CMPP pour de gros troubles du comportement, liés à une structure psychotique. Le carré blanc sur le lit de ses parents, ainsi que leur représentation s'arrêtant au niveau du buste, évoquent non seulement sa curiosité concernant la scène primitive, mais aussi sa préoccupation concernant la différence des sexes.

Au cours d'une autre séance, elle parle à nouveau de ses cauchemars, elle dessine tout en disant que ça va mal. Son dessin terminé, l'objet de son inquiétude apparut dans toute sa clarté. Son effet sur elle fut celui d'un choc, car elle refusa de le poursuivre ou de le commenter, et demanda à partir. Il s'agissait d'un personnage féminin dessiné au crayon noir, le bas de la robe à partir de la taille étant entouré de pointillés rouges, qui encadrent une blessure d'où coule du sang. L'emplacement de la blessure évoque de façon très claire le sexe du personnage féminin.

Cette séance fut l'occasion pour Djahida d'illustrer sa représentation du sexe féminin, le sien, perçu comme une blessure. Nous retrouvons l'influence de l'accident et le déplacement qui s'opéra de la jambe au sexe. Sa blessure à la jambe, beaucoup plus spectaculaire que grave, réactiva donc son angoisse de castration. Le dessin, qu'elle utilisait de façon particulièrement adéquate, l'exprimait beaucoup plus qu'elle ne l'aurait souhaitée, étant donné son intelligence très vive qui la rendait prompte à saisir le sens de ses productions.

A la séance suivante, elle trouve parmi les jouets un coquillage. Elle le garde longtemps dans sa main, l'écoute puis le dessine et le colorie. Les couleurs sont vives, les pointillés en rouge, qui l'entourent, lui donnent un aspect lumineux. Je lui fis part de ce qui me semblait être sa curiosité pour son sexe, ainsi que sa peur à la suite de l'accident ; peur que la blessure soit à ce niveau-là, et que maintenant elle se réconciliait avec sa féminité à travers ce coquillage qui rappelle le sexe de la fille - en le touchant, en écoutant l'écho de « la mer », puis en le dessinant et le coloriant si joliment.

A la fin de la séance, je me suis aperçue qu'elle avait emmené avec elle le coquillage.

La séance d'après, Mme T. arriva très mécontente de

sa fille, qui s'intéresse à tout sauf à ses devoirs et à apprendre ses multiplications. Après beaucoup d'hésitations et d'un air très gêné, elle se décide à me parler des préoccupations de sa fille concernant l'origine des bébés. Djahida lui demande souvent comment on fait les bébés. Mme T. s'insurge contre le fait qu'on leur montre tout à la télé. Je commençais en m'adressant à Djahida, devant sa mère, et en disant que j'avais remarqué ses préoccupations concernant la différence entre un homme et une femme, ainsi que l'origine des enfants, que nous avons même commencé à en parler... Je n'eus pas le temps d'aller au bout de mon explication. Mme T. tendit les mains en avant, comme pour m'arrêter, et me demanda si j'étais musulmane ou non ! « Il n'est pas question, d'après notre religion, d'apprendre ça à la fille. D'ailleurs, je lui dis toujours, intéresse-toi à l'école et à tes tables de multiplication, plutôt qu'à ça. »

Nous nous trouvons devant un interdit massif de la mère, justifié par un argument massue, « haram », tabou, qui sert à masquer la confusion dans laquelle elle-même se trouve par rapport à cette réalité.

Cependant Djahida, en l'absence de sa mère qui n'a pu venir à la séance suivante, me montre qu'elle a très bien entendu mon allusion, ainsi que l'interdit de savoir, posé par la mère. Elle compose avec les deux, et cela donne ceci : « Je dois faire des exercices très difficiles, mais en fait je les comprends bien. J'ai toujours été passionnée par l'école, bien avant de venir ici. » Puis sans transition, elle passe au sujet en question, quoique, en fait, elle fût toujours dans le sujet.

« Ce n'est pas vrai, ce n'est pas le papa qui met la graine dans le ventre de la mère, mais Dieu qui donne des enfants. C'est Dieu qui crée tout, la Terre et tout. L'homme met la graine dans la terre, ça donne un petit arbre qui grandit, puis donne des fruits. J'ai vu ça chez ma grand-mère qui a des orangers et des citronniers. »

Ainsi aurait pu évoluer tranquillement ce travail autour d'une histoire, à la limite classique, d'une petite fille qui a quelque mal à assumer son destin de femme ; dans un environnement qui n'est pas favorable, comme c'est souvent le cas, tout en restant facile à appréhender, puisque cela se déroule dans le cadre d'une famille nucléaire. Les choses se compliquent avec l'apparition d'éléments nouveaux, tels qu'un beau-frère et une belle-sœur qui s'installent de manière quasi permanente, ainsi que deux grand-mères, l'une du côté paternel, l'autre du côté maternel dont les apparitions ne vont pas sans provoquer de remous. Le père, dont la mère parle très peu, est au chômage. Leur situation gênante au niveau économique devient franchement compliquée, lorsque tout ce monde vient s'incruster autour de leur noyau familial. Cette situation connaît deux étapes :

- Une première étape, où la curiosité de Djahida trouve de quoi s'alimenter dans les histoires que raconte sa tante concernant la grande famille, ainsi que sa propre histoire où il est question de sa difficulté de vivre en Algérie. Cet apport confidentiel entraîne du côté de Mme T. un mouvement réciproque, au cours duquel elle parle de ses relations conflictuelles avec son mari, qui est souvent absent de la maison. Djahida découvre ce monde foisonnant et riche des grandes personnes. Fascinée, elle délaisse ses travaux scolaires et ne pense plus qu'à écouter. Au cours d'une séance, Mme T. va me traduire le nouveau comportement de sa fille de la façon suivante : « Djahida ne pense plus qu'à écouter ce qui ne la regarde pas, au lieu d'aller faire ses devoirs et ses multiplications. Elle se fait toute petite, ou bien fait semblant de dormir, et écoute tout ce qu'on se raconte, sa tante et moi. Lorsque je la renvoie à son travail scolaire, elle se met en colère et menace de tout répéter aux hommes. »

« Djahida est très intriguée par le fait que ma belle-sœur, qui est une très jolie jeune fille ainsi qu'une femme d'intérieur accomplie, n'arrive pas à se marier. » Djahida veut comprendre, mais on lui répond souvent « tais-toi ». Elle veut aussi comprendre pourquoi son père est souvent absent la nuit. C'est ce qu'elle a surpris, mais il lui est interdit d'en parler, même au cours des séances. « Je ne sais plus ce qu'il faut faire. A la maison, on me dit tais-toi, et ici il faut que je parle ! »

Mme T. ne supporte pas non plus que sa fille s'occupe trop d'elle-même : « Elle s'entoure de chiffons, se maquille, *au lieu de faire ses devoirs et apprendre à multiplier.* » C'est moi qui souligne, parce que chacune des apparitions de Mme T. semble un rappel à l'ordre et au devoir. En investissant sa féminité, en jouant à se faire belle et séduisante, Djahida vient questionner une dimension que sa mère a refoulée au profit du devoir et de la multiplication. Cette phrase, qui revient très souvent, ne peut manquer d'évoquer le destin de cette femme auprès de laquelle son mari trouve si peu de plaisir qu'il ne rentre plus la nuit. C'est sans doute pour cela que Djahida a tant de mal à se plier à l'injonction de sa mère, qui est une femme de devoir, mais n'a pas su pour autant garder son mari. De ce fait, elle ne peut représenter pour sa fille un modèle d'identification valable.

- La deuxième étape va voir le processus pathologique s'accélérer avec l'accroissement des facteurs stressants dans son environnement. Ainsi, le chômage de son père va persister, et les difficultés économiques vont s'accroître avec la charge supplémentaire que représentent, au fil des mois, le beau-frère et la belle-sœur.

Le père ne dit rien à son frère et à sa sœur. La mère, respectueuse des traditions et pour éviter les problèmes avec sa belle-famille, n'ose rien dire, mais n'en pense pas moins, sans doute à voix haute devant sa fille, qui devient le porte-parole de son agressivité.

Celle-ci me dit textuellement qu'« elle laisse faire sa fille », qui est devenue une véritable furie. Elle ne risque rien socialement en agressant sa tante, mais psychologiquement le résultat va être catastrophique. Son agressivité va être démesurée, et menacer constamment les limites de son Moi. Elle va s'étendre à tous les adultes. Puisqu'elle a pu gifler sa tante, elle peut me gifler, ainsi que son maître d'école. Avant d'aborder son comportement hypomaniaque dans la réalité des séances, je propose quelques références théoriques.

Djahida était à l'âge que Freud a appelé la période de latence, qui va de la fin de la cinquième année aux premières manifestations de la puberté (vers la onzième année). C'est la période où « le refoulement opère habituellement ».

Dans les *Trois essais sur la théorie de la sexualité*, il emploie le terme de « période de latence », et pose que c'est pendant cette période « totale ou partielle que se constituent les forces qui, plus tard, feront obstacle aux pulsions sexuelles et, telles des digues, limiteront et resserreront leurs cours (le dégoût, la pudeur, les aspirations morales et esthétiques) » (2).

Selon Berta Bornstein, dont les conceptions sont considérées comme classiques par un très grand nombre d'auteurs, la période de latence commence avec la résolution partielle du complexe d'Œdipe, résolution partielle qui conduit, à travers l'identification aux objets œdipiens, à l'établissement du Surmoi. Il faut, selon Berta Bornstein, distinguer dans la période de latence deux époques, la première allant de cinq à huit ans, la seconde de huit à dix ans. Il y a bien sûr plus que des différences chronologiques entre elles, l'élément commun étant la rigueur du Surmoi dans son évolution des désirs incestueux, une rigueur qui trouve son expression dans la lutte contre la masturbation. On peut décrire ainsi, avec T.-E. Becker, les difficultés entre ces deux périodes : « A la première période de latence, les mécanismes d'autorégulation sont nouveaux et peu fiables. Le Surmoi est tantôt excessivement strict, tantôt inefficace, et on observe des régressions temporaires vers les pulsions prégénitales, comme ligne de défense contre les souhaits incestueux pendant la première période de latence. C'est contre cette régression prégénitale au voyeurisme, au suçage du pouce et à l'analité que les formations réactionnelles surviennent et marquent la formation du caractère. L'ambivalence accrue qui accompagne cette régression prégénitale se manifeste dans la lutte de l'enfant entre l'obéissance et la révolte » (3).

D.-W. Winnicott introduit une dimension qui est fondamentale pour le cas en question. Sa constatation, que là où on voit un nourrisson, on rencontre des soins maternels, est applicable aux enfants en période de latence. Là où il y a des enfants à la période de latence, il y a des adultes pour s'en occuper, même s'il s'agit de soins qui ne sont plus exclusivement maternels ni parentaux.

En élaborant sa thèse sur le traumatisme cumulatif, M. Khan va nous donner une idée plus précise sur la fonction de cet environnement premier qu'est la mère et de

---

(2) Freud (S.), *Trois essais sur la théorie de la sexualité*, éd. Gallimard, pp. 69-70. Cité par :
Denis (P.), « Du traitement analytique à la période de latence », in *La psychiatrie de l'enfant*, vol. XXII, 2/1979, pp. 281-333.
(3) Ibid., p. 286.

ce qu'il advient chez l'enfant lorsqu'elle ne peut assurer sa fonction de barrière protectrice. « Le traumatisme cumulatif résulte des brèches dans cette barrière protectrice dont la mère tient lieu tout au long du développement de l'enfant, de la prime enfance à l'adolescence. C'est-à-dire dans toutes les aires d'expérience où l'enfant a besoin de sa mère comme d'un Moi auxiliaire, pour soutenir ses fonctions du Moi encore instable... En conséquence, le traumatisme cumulatif résulte des tensions et des stress que l'enfant expérimente dans le contexte de la dépendance de son Moi à l'égard de la mère, qui est à la fois barrière protectrice et Moi auxiliaire » (cf. M. R. Khan, 1963 et chap. infra) (4).

Djahida est amenée, à un moment donné, à assumer une fonction que sa mère ne peut plus assurer. Face à un environnement particulièrement hostile, où se mêlent l'incertitude du lendemain, l'absence du père, la surcharge familiale et les traditions qui imposent de ne rien dire, la mère délègue à sa fille aînée un pouvoir dont elle ne peut user et qui consiste à agresser sa tante et lui faire sentir qu'elle est indésirable. L'effet sur Djahida est le suivant : d'un air renfrogné, elle prend une feuille et se met à dessiner, elle griffe le papier à coups de crayon, puis, incidemment, elle me dit qu'ils vont partir en Algérie. L'objet de son agressivité, ce sont ses deux tantes qu'elle traite « de putes ». Après l'avoir dit et écrit, elle semble soulagée et le dit d'ailleurs : « moi aussi, j'ai le droit de me décharger ». Sa maîtresse lui aurait conseillé de lire, mais « je ne peux pas lire, j'ai peur que ça soit des histoires qui fassent peur et que je fasse des cauchemars où il est question de dents ».

Je la revois pour la première fois après son retour de vacances : en survêtement rouge, les cheveux coupés courts, la bouche serrée, elle se met à gribouiller sur la feuille, ça semble plutôt des coups de griffes. Elle refuse de parler pendant un long moment et quand elle se décide c'est l'éruption. Elle monte sur le vase qui tient lieu de cache-pot, tente d'arracher le calendrier, veut renverser le bureau tout en disant que les grandes personnes sont bêtes, cons, qu'elles ne comprennent rien, que « l'imagerie », ça ne sert à rien, que ça ne l'empêche pas de faire des cauchemars

(4) Khan (M.), *Le soi caché*, éd. Gallimard, Paris 1976, p. 74.

et que c'est « l'imagerie de mon cul... ». Toute tentative d'interprétation est vécue comme une agression insupportable dont elle se défend en se bouchant les oreilles et en hurlant.

Les séances vont se suivre et voir son agressivité décupler. Elle menace toujours de tout détruire, le cadre thérapeutique y compris la personne du thérapeute. Les thèmes à connotation sadique-orale et sadique-anale sont manifestes dans les quelques productions, qui se réduisent, à l'époque, à coller deux tas de pâte à modeler noire sur une feuille de papier qu'elle attaquait à coups d'épingle. Si j'ouvre la bouche pour parler, elle se bouche les oreilles en criant et en disant que j'ai du caca qui sort de la bouche, puis dans un geste nerveux elle déchire en petits morceaux ses feuilles de papier qu'elle jette en l'air.

Je résolus de changer ma façon d'intervenir, en veillant surtout à lui offrir un soutien plus fort à travers la stabilité d'un cadre thérapeutique, qui doit résister à sa destructivité, ainsi que ma propre personne qui doit survivre à ses attaques répétées. Elle sort de ces séances épuisée, mais revient très régulièrement non seulement, me semble-t-il, pour constater qu'on existe toujours, mais pour recommencer le même scénario.

Les travaux de D.-W. Winnicott autour de l'utilisation de l'objet, qu'il distingue de la relation à l'objet, me furent d'un grand secours. J'en propose un large extrait :

« Le mode de relation à l'objet est une expérience du sujet que l'on peut décrire par référence au sujet en tant qu'être isolé. Toutefois, quand je parle de l'utilisation, je tiens pour acquis le mode de relation à l'objet et j'y ajoute de nouveaux traits concernant la nature et le comportement de l'objet. Ainsi l'objet, s'il doit être utilisé, doit être nécessairement réel, au sens où il fait alors partie de la réalité partagée, et non pas être simplement un faisceau de projections. C'est là, je pense, ce qui contribue à créer ce monde de différence qui existe entre le mode de relation et l'utilisation... Ce changement (qui va du mode de relation à l'utilisation) signifie que le sujet détruit l'objet » (5).

D.-W. Winnicott nous décrit ce dialogue qui semble s'instaurer entre le sujet et l'objet dans la mesure où ce

(5) Winnicott (D.-W.), *op. cit.*, p. 123.

dernier a pu survivre à la destruction par le sujet. « Le sujet dit à l'objet : « Je t'ai détruit », et l'objet est là, qui reçoit cette communication. A partir de là, le sujet dit : « Hé ! L'objet, je t'ai détruit », « Je t'aime », « Tu comptes pour moi, parce que tu survis à ma destruction de toi ». « Puisque je t'aime, je te détruis tout le temps dans mon fantasme (inconscient). » Ici, s'inaugure le fantasme chez l'individu » (6).

« Si c'est au cours de l'analye que ces questions surgissent, alors l'analyste, la technique analytique et le cadre analytique interviennent tous en tant qu'ils survivent, ou ne survivent pas, aux attaques destructrices du patient. Cette activité destructrice correspond à la tentative que fait le patient pour placer l'analyste hors du contrôle omnipotent, c'est-à-dire dehors, dans le monde » (7).

M. Khan nous dit à propos de l'omnipotence symbiotique dans le cadre analytique : « Ce que les patients *demandent*, c'est de *l'indulgence* et aussi d'être adoptés, mais ce n'est pas là ce dont *ils ont besoin*. Ce dont ils ont *besoin*, c'est de certaines expériences vécues dans une « nursery normale », expériences qu'ils n'ont pu faire, en raison du refoulement de la haine et de l'agressivité de leurs mères (James, 1964). Ce dont ils ont *besoin*, c'est d'un affrontement agressif et d'une expérience agressive dans la situation clinique qui les rendent capables d'expérimenter la validité de leur propre haine et de leur propre agressivité, tout autant que celle de la personne non-soi (l'analyste).

La perturbation clinique de l'omnipotence symbiotique dépend des facteurs suivants :

1) La capacité qu'a l'analyste de tolérer d'être positivement utilisé par le patient... » (8)

La séance critique

Dès qu'elle s'installe, Djahida se met à donner des coups de pied au bureau, jette ce qui est devant elle dans tous les sens, puis me demande le crayon avec hargne.

(6) Winnicott (D.-W.), *op. cit.*, p. 125.
(7) Ibid., p. 127.
(8) Khan (M.), *op. cit.*, p. 125.

Quand je le lui tends, elle me l'arrache des mains. Cette dernière séquence, qui revient très régulièrement au cours de ces dernières séances, est la plus pénible pour moi et c'est celle qui me força à réagir ce jour-là. Je lui dis très distinctement, en pesant chaque mot : « La prochaine fois, quand tu me demanderas quelque chose, tu le feras gentiement. » Cela eut pour effet de calmer ses gestes désordonnés, ses traits se détendirent, et, pour la première fois, un sourire apparut sur son visage. Sa surprise de me voir faire preuve d'agressivité était aussi grande que ma surprise en la voyant se détendre et ressembler à autre chose qu'une furie grimaçante. Elle laissa tomber ce qu'elle avait en mains et prit de la pâte à modeler claire et fit un bracelet finement travaillé, puis un collier, une bague, une broche et des boucles d'oreilles, très joliment faits. Ainsi, travaillait-elle sur de l'or, plutôt que sur du caca. Elle accepta de poursuivre son travail à la séance suivante.

Elle revint, toujours aussi détendue, circula dans la pièce, utilisa le divan pour s'asseoir et me parla pour la première fois de son accident. Elle me le raconta en détail, me montra sa cicatrice et dit qu'elle faisait des cauchemars bien avant l'accident. Elle les fait même en étant éveillée. En classe, elle voit ses copines devenir des monstres, les chaises bouger, elle a envie de hurler quand ça se produit. En Algérie, chez sa grand-mère maternelle, elle voyait dans ses cauchemars sa famille comme des vampires. Puis elle passa au bureau et fit un très joli pendentif et un collier.

Plusieurs séances vont être utilisées autour de la fabrication des bijoux, puis de la boîte qui devait les contenir et qui a été faite par elle à partir d'un morceau de carton et d'une feuille d'aluminium. Tout un travail fut nécessaire pour la fabrication du fermoir. La pâte à modeler a été utilisée dans un premier temps, mais elle s'est aperçue que cela ne tenait pas, elle utilisa donc du scotch, et des rubans comme ornement.

Au cours d'une séance, elle parla de ce qui se passait dans les anciens châteaux forts. Le roi pouvait jeter sa femme dans les oubliettes avec ses beaux vêtements et ses bijoux. Elle insiste sur l'importance du fait de garder ses bijoux sur soi, c'est très important, ça a de la valeur.

Djahida affirmait ainsi son dégagement de cette position impossible, où l'identification à la mère en tant qu'objet du désir du père était marquée par l'échec et le risque d'être mise aux oubliettes. D'où ses difficultés d'ancrage dans une position œdipienne et ses régressions vers les pulsions prégénitales sadiques-orales et sadiques-anales. La psychothérapie lui a permis d'élaborer ses angoisses, qui représentaient une menace pour son Moi et pour son identité sexuée. Elle arrive, après plusieurs séances d'un travail d'orfèvre, à soutenir le pari de la féminité, malgré le risque d'être un jour mise aux oubliettes. C'est une menace qui, si elle est inhérente au fait de vivre et représente l'inéluctable de la séparation, ne représente plus pour elle une menace d'annihilation.

La fin de l'année scolaire arrivait. J'assistai à l'émergence d'un sentiment nouveau chez Djahida pour son maître. Elle n'en parla pas. Je respectais son silence et ne la questionnais pas sur le dessin qu'elle préparait longuement en ma présence et qu'elle voulait lui offrir à la fête de la fin d'année. Ce dessin représentait une jeune fille à la longue chevelure et à l'air timide et rougissante sur un secret qui est le sien.

Djahida affirmait par ce secret son être séparé et indépendant, en même temps qu'elle testait mes réactions en me mettant donc dans une position de rivale, devant les sentiments tendres qu'elle éprouvait pour son maître, de qui elle était devenue une grande admiratrice et une brillante élève.

A l'instar du petit Jonathan (9), Djahida fit l'expérience du clivage à l'intérieur de sa famille. Ici, un clivage culturellement admis, qui instaure une sorte de frontière entre les hommes et les femmes et, de ce fait, limite le champ d'expérience de l'un et de l'autre.

Djahida menace de faire tomber cette frontière invisible, mais néanmoins efficace, en voulant tout dire aux hommes, puisque sa mère refuse de répondre à ses questions et oppose à ses investigations une sorte de barrière sacrée, « haram », qui contribue à lui barrer l'accès au savoir et à faire de sa curiosité sexuelle un point de fixation. Ainsi, elle prend conscience du fait qu'elle peut, à loisir, faire rencontrer ces deux mondes et assister à leur grande confusion, en dévoilant le secret de la femme, qui n'est rien d'autre qu'une mise à jour de sa parole et de

(9) Khan (M.), *op. cit.*, pp. 231-239.

son corps. La confusion qui en résulte la renvoie, elle, à la scène primitive. Car, c'est là, la véritable menace que fait peser Djahida sur sa mère. Elle consiste à mettre en scène la rencontre des deux mondes à l'origine de sa naissance, puisqu'aucune parole ne vient la symboliser.

« Plus que la naissance, peut-être, c'est la parole qui sépare l'homme de son semblable. Elle instaure, dans la rupture du lien des corps, la continuité respective des êtres, en même temps que leur altérité. C'est pourquoi l'homme ne devient homme qu'en renaissant. A la séparation matérielle de la naissance, succède la séparation par la parole qui lui donne sens. En accédant au sens des mots, l'enfant découvre qu'il n'est plus le nécessaire prolongement du corps de l'autre, éprouvé comme continuité ou contiguïté de son propre corps. Dans le même mouvement, il est dessaisi de lui-même. C'est alors que, dans l'espace commun de la langue, surgit le déferlement des questions sur les êtres et sur les choses. Dès lors, l'enfant ne colle plus à ses parents, il les questionne » (10).

(10) Vasse (D.), *Le temps du désir*, éd. du Seuil, Paris, 1969, p. 150.

III

UNE VOIX VOILÉE

« Quiconque regarde une femme alors qu'il jeûne, en sorte qu'il peut voir la forme des os (*sic*) de cette femme, son jeûne est rompu » (1). La même prescription est posée par rapport à la fonction auditive : « Il est interdit au musulman de se délecter de la voix harmonieuse d'une femme étrangère, ainsi qu'il est interdit à la femme d'élever sa voix, de telle sorte qu'elle puisse être entendue par toute autre personne que "son seul époux et maître", (mais) parce que la voix peut créer un trouble et engager le cycle du Zinâ (1). Lorsqu'on frappe à la porte d'une maison et qu'il n'y a ni homme, ni petit garçon, ni fillette pour répondre "qui est là ?", une femme ne doit jamais parler ; elle se contentera de claquer des mains » (2).

Le contenu sexuel de la fonction visuelle et auditive est clairement établi. S'il est interdit à l'homme de pénétrer la femme du regard, il est tout aussi interdit à la femme de pénétrer l'homme en élevant sa voix. Ceci implique la reconnaissance d'un rôle actif et masculin chez la femme, par l'intermédiaire de cet organe qu'est la voix, qui devient, si elle l'élève, l'équivalent du phallus, l'oreille de l'homme devenant, de ce fait, l'équivalent du sexe de la femme.

En outre, il est dit de l'homme, qui se prête aux dires des femmes, que c'est un efféminé. L'homme, le vrai, est celui qui se fait sourd à la parole de la femme.

---

(1) Le Zinâ désigne tout rapport sexuel en dehors du mariage. A. Bouhdiba nous dit que « l'antithèse du Nikâh' (mariage), qui est le Zinâ, se trouve frappée d'un interdit particulièrement violent : vingt-sept versets, pour le moins, lui sont consacrés dans le Coran. « N'approchez point le Zinâ - c'est une turpitude et c'est la voie du mal », affirme le verset 34 de la Sourate « l'Isrâ ». La Sourate « La lumière », en son troisième verset, l'assimile purement et simplement à une forme de paganisme... » (p. 25).

(2) Bouhdiba (A.), *op. cit.*, p. 53.

Dans son article sur la voix, G. Rosolato nous parle de l'étude d'Ernest Jones sur « La conception de la Madone par l'oreille » (1914). Il a recherché dans les mythologies hindoue et grecque, dans la tradition chrétienne des Pères de l'église, les modalités d'une transmission d'une fécondation qui ne se ferait pas par les voix sexuelles « naturelles »... Pour Jones une telle manière de voir la fécondation reflète une attitude ambivalente à l'égard du Père ; d'un côté la supériorité est affirmée (comme une toute-puissance fécondant la pensée elle-même) et, de l'autre, l'acte sexuel en propre est dénié, l'oreille remplace le sexe de la femme... (3)

Dans le contexte culturel dans lequel nous nous plaçons, le primat de la sexualité est affirmé, mais à l'intérieur d'un cadre bien établi, le mariage, qui est obligatoire pour tout musulman. En même temps, il semble que nous soyons en présence d'une reconnaissance de la bisexualité de l'homme et de la femme. D'où l'arsenal de recommandations, de règles et de normes, qui sert à délimiter la frontière entre le monde des hommes et celui des femmes.

« La bipolarité du monde repose sur la rigoureuse séparation de deux "ordres", le féminin et le masculin. L'unité du monde ne se fait que dans l'harmonie des sexes réalisée en pleine connaissance de cause. Le meilleur moyen de réaliser l'accord voulu par Dieu, c'est pour l'homme d'assumer sa masculinité et pour la femme de prendre en charge sa propre féminité. La vision islamique du monde déculpabilise les sexes, mais c'est pour les rendre disponibles l'un à l'autre et pour réaliser un "dialogue des sexes", dans le respect mutuel et dans la joie de vivre » (4).

Si pour accéder aux principes religieux énoncés ci-dessus, la femme doit voiler son corps et sa voix, l'homme est contraint de voiler son regard et son ouïe. Comme le dit à juste titre A. Bouhdiba : « En un sens toute la société arabo-musulmane ne devait-elle pas souffrir plus ou moins consciemment d'une "cécité", imposée par la loi de l'inexorable séparation des sexes. Puisque pratiquement une bonne moitié de la société passait son temps à dissimuler l'autre

---

(3) Rosolato (G.), *Essais sur le symbolisme*, éd. Tel-Gallimard, Paris 1969, p. 295.
(4) Bouhdiba (A.), *op. cit.*, p. 43.

moitié à sa propre vue, tout en cherchant à l'imaginer ou à la surprendre ! Le voyeurisme est refuge et compensation. La poésie arabe sera un hymne aux yeux et une symphonie du regard. L'amour peut naître d'une description, d'un portrait. Le fantasme et le réel s'hypostasient mutuellement. Peut-on jamais se rendre aveugle à autrui ? » (5) Et le voile peut-il contribuer à l'effacement de la femme et préserver l'homme de la féminité ?

Nous avons vu, dans le petit sondage fait auprès d'hommes et de femmes, que si le voile signifie la négation de la femme sur la scène sociale, il consacre son règne sur la scène du fantasme.

Nous verrons, au cours de cet exposé, comment la jeune Ouardia va voiler sa voix pour s'inscrire dans la lignée paternelle et se plier à l'injonction qui lui a été faite, à l'âge de six ans, de rester musulmane dans un environnement qui représente une menace pour son identité socioculturelle, profondément déterminée par la dimension religieuse.

Ouardia est de mère française d'origine juive polonaise et de père algérien et musulman. Elle a été conçue avant le mariage, qui s'est fait parce que le père tenait à légitimer son enfant, pour ensuite la retirer le plus vite possible à sa femme, et par conséquent à la filiation judaïque, et la confier à sa propre famille en Algérie, afin que l'enfant intègre le plus tôt possible la culture arabe et surtout la religion musulmane.

Ouardia reprend les mots de sa mère : « On t'a arrachée à moi », pour signifier la précocité de cette séparation, sa violence et la souffrance qu'elle engendra de part et d'autre, même si Ouardia cherche à minimiser ce qui en est de son côté, en parlant d'une enfance heureuse en Algérie dans la grande maison, entourée par ses grands-parents, ses jeunes oncles et tantes. Elle a été confiée plus particulièrement à la grande sœur du père, qui joua pour elle le rôle d'un bon substitut maternel. Ses souvenirs sont riches et apparemment ceux d'une enfance insouciante. Elle a commencé à être scolarisée à l'âge de six ans, et semble déjà se distinguer par une bonne élocution en français et être l'objet d'attention de la part de son maître.

---

(5) Bouhdiba (A.), *op. cit.*, p. 54.

C'est au cours de cette année scolaire qu'un certain nombre d'événements vont changer le cours de son existence. Ses parents, qui vivent en France, mais séparément, se disputent toujours la garde de l'enfant par l'intermédiaire de la justice, qui finit par confier Ouardia à sa mère. Le père dut revenir en Algérie pour chercher sa fille et la rendre à sa mère. Un certain nombre de manifestations somatiques, telles qu'un problème vocal, un écoulement constant du nez et une éruption de verrues sur les mains, sont contemporaines de sa venue en France. Dès l'âge de sept ans, elle suit une rééducation orthophonique, sans aucun résultat. Lorsqu'elle s'adresse à moi en 1981, à l'âge de dix-sept ans, pour des difficultés relationnelles liées, entre autres, à ce qu'elle présente comme étant « une voix qui la bloque, la complexe, l'empêche de s'exprimer comme elle veut », car très vite elle déclenche des réactions violentes dans son environnement. Ainsi, sa mère manifeste sa difficulté à entendre sa voix par des grimaces ou des mouvements d'impatience. Un médecin femme lui aurait dit que : « sa voix dérange ». Ses camarades de classe lui font des remarques blessantes.

Ces manifestations hostiles, qui proviennent exclusivement de l'élément féminin, vont finir par provoquer chez elle une inhibition au niveau de l'expression verbale, ainsi qu'un repli et un isolement qui ont fini par l'inquiéter à l'adolescence, et l'ont poussée à entreprendre une psychothérapie.

Si j'essayais de définir sa voix, je garderais le terme de *voix voilée*, auquel elle tient. Cette voix est parfaitement audible, malgré sa tonalité grave. Elle devient chuchotement à certains moments, mais confine à l'étrange lorsqu'elle s'éclipse totalement. Ce qui peut justifier les réactions violentes de son entourage.

Dans son article sur « les bases pulsionnelles de la phonation », Ivan Fonagy apparente la voix voilée à la coquetterie et en fait une analyse particulièrement édifiante. « Ce qui frappe, dit-il, dans ce *jeu d'ombre et de lumière* - changement de registre et de timbre, apparition, disparition, réapparition d'une voix très féminine, câline - c'est son caractère *espiègle*. La voix semi-chuchotée pourrait s'expliquer par le caractère *confidentiel* du message. Le voisement imparfait est d'autre part un symptôme bien connu de *l'émotion sexuelle*. (La décontraction des vaisseaux sanguins enfle le muscle vocal, et c'est peut-être à l'érection du muscle qu'est dû le contact incomplet des cordes vocales). La légère dépression du niveau tonal, le timbre voilé, un peu sombre, pourrait également contenir une allusion à une passion secrète, contenue, qui pourtant échappe par moment au contrôle. On lève le voile pour un instant et on fait remonter le ton en esquissant *un geste furtif* et *provocant*. L'articulation décontractée, la voix mélodieuse, presque chantonnante, sont propres à inspirer des sentiments tendres, à *séduire*, par *enchantement*, le partenaire. La voix qui retombe au niveau bas-moyen et dans le registre de poitrine semble vouloir *attirer* le partenaire vers un abîme, un gouffre de douceur. *Le double registre* - schizophonie momentanée, volontaire (Moses, 1957) - de cette voix de sirène reflète en même temps *l'ambivalence* inhérente à la coquetterie ; celle de la femme qui attire l'homme pour le repousser, et s'esquive pour être suivie, capturée. Par ce stratagème, elle échappe à toute responsabilité en procurant au partenaire la joie de la conquête, plaisir légèrement sadique qui ajoutera une certaine saveur au plaisir sexuel. »

« Ce jeu trop limpide en cache cependant un autre, moins apparent, qui est *l'inverse* du premier. Malgré sa réticence apparente, c'est la femme qui provoque cette fois l'homme, c'est elle qui joue le rôle actif, masculin, réalisant le vieux rêve, le phantasme *phallique*, sans renier pour autant son sexe, au contraire en accentuant sa *féminité*, en la dévoilant par moments au cours de ses *gambades vocales* ... Le registre de poitrine, le niveau tonal bas-moyen, le timbre voilé, assombri, mettent en évidence *l'élément masculin* et semblent contenir une promesse tacite, fallacieuse *d'intégrité bisexuelle*, comme pour rassurer le partenaire qui, peut-être, n'a pas entièrement surmonté la frayeur que lui a infligé la vue de la femme "tronquée" (6). »

Ceci nous éclaire sur la réticence et le malaise qui provenaient essentiellement des femmes, devant une voix qui

(6) Fonagy (I.), « Bases pulsionnelles de la phonation », in *Revue Française de Psychanalyse*, n° 4, 1973, pp. 543-589.

se pare de l'emblème de la féminité pour mieux cacher son jeu éminemment phallique.

P. Aulagnier-Spairani nous parle aussi de ce sentiment de malaise qu'elle croit « typiquement féminin et qui surgit face à certains aspects exacerbés de la féminité, comme la façon dont certaines femmes savent faire du maquillage un masque captivant ou une certaine façon de voiler, tout en la montrant, leur nudité. Là où l'homme peut se laisser fasciner, la femme ressentira le même sentiment que doit éprouver le complice qui craint à tout instant qu'on découvre que les cartes avec lesquelles se joue la partie sont truquées... » (7)

Je n'épuiserai pas, au cours des quelques séances que je vais exposer, la multiplicité des sens que recouvre ce symptôme, mais il m'a semblé particulièrement intéressant de faire ressortir, dans ce fragment d'analyse, l'intrication d'éléments culturels et psychologiques dans l'histoire d'une adolescente qui a été très tôt marquée par leur action. Ainsi, au cours d'une séance où elle est restée allongée un long moment sans rien dire, elle se redressa pour me demander si je me rends compte du fait qu'elle est sale. « Je n'arrive jamais à être aussi nette que certaines filles. Mes chaussures sont sales, mon nez coule tout le temps. A l'âge de sept-huit ans, j'avais beaucoup de verrues sur les mains. Mes petites camarades de classe, en France, ne voulaient pas me donner la main, parce qu'elles trouvaient que c'était sale et avaient peur d'être contaminées. » Elle se rappelle qu'entre six et sept ans, alors qu'elle se trouvait encore en Algérie, son père lui a fait subir une petite préparation avant de la ramener en France.

Elle se trouvait dans la salle de bains, et son père se tenait à la porte et lui indiquait comment nettoyer ses parties génitales selon le rituel musulman de purification, après qu'elle ait fait ses besoins. Ensuite, il lui a fait réciter la profession de foi musulmane et lui a fait jurer sur le Coran de rester musulmane. Au tribunal, quand il a fallu la rendre à sa mère, elle n'a pas compris pourquoi son père n'a fait aucun effort pour la garder. Elle se rappelle ses cris et ses pleurs, comment elle s'accrochait à lui, tandis qu'il gardait ses bras le long de son corps, sans aucun geste pour

(7) Aulagnier-Spairani (P.), *Le désir et la perversion*, éd. du Seuil, Paris, 1967, p. 72.

la prendre. Elle conclut toute seule qu'en fait, rester sale est une façon de dire à son père, comme elle me le dit ce jour-là : « Regarde, je ne suis pas propre, j'ai besoin que tu me nettoies, je ne sais pas le faire toute seule. »

Elle évoque ce qui semble être un souvenir écran, qui date de la même période. Elle dit se voir à la sortie de l'école en Algérie. Il y avait beaucoup d'enfants autour d'elle, et de son cartable dépassait une règle. Quand les enfants se sont dispersés, elle s'est rendu compte qu'elle avait perdu sa règle. Elle se rappelle qu'à la même période, il y a eu un tremblement de terre et que les gens ont eu peur. C'est aussi à la même période que son père lui aurait dit qu'il l'emmenait avec lui en France, et qu'ils vivraient ensemble s'ils gagnaient le jugement.

Il lui semble qu'elle devait jouer un rôle durant ce jugement et que l'échec lui serait aussi imputable, puisqu'« elle a été impuissante », ce sont ses termes, elle n'a pas su quoi faire. Et donc, face à sa révolte contre son père, « il n'a jamais su me garder et me défendre contre ma mère, et contre sa deuxième femme », il y a aussi un sentiment d'impuissance qui vient la submerger, parce qu'elle n'a pas su faire ce qu'il aurait fallu pour rester avec son père.

Le souvenir écran vient témoigner de l'espoir de réalisation d'un rapprochement de type incestueux avec le père, à la faveur d'une alliance secrète, basée sur l'éviction totale de la mère.

La blessure cuisante que gardera Ouardia, c'est de ne pas avoir su être à la hauteur de l'attente du père. Elle gardera de ce moment une voix cassée, à force d'avoir trop pleuré son espoir brisé, dans le taxi qui les ramenait, sa mère et elle. Elle refuse le terme « cassée », et lui préfère celui de « voilée », voilant le secret de son alliance à son père, mais signifiant clairement - elle y tient - son inscription dans la filiation patrilinéaire qui la fait rejoindre le monde des femmes voilées, et ainsi, ne pouvant voiler son corps en France, elle voilera sa voix.

CONCLUSION

LE VOILE COMME VOILEMENT DE LA CONSCIENCE

Jusqu'alors, nous nous sommes attachés à la compréhension du voile en tant que phénomène qui, à lui seul, peut caractériser la société algérienne traditionnelle, comme étant celle qui voile ses femmes.

En dehors du fait que le voile est bien antérieur à l'Islam et qu'on le retrouve dans les deux grandes religions qui l'ont précédé, sa pérennité dans le monde musulman m'a fait soutenir la thèse qu'il existe un lien entre l'endogamie, qui est le propre du système de parenté arabo-berbère, et le voilement.

J'essaierai de démontrer, en dernière analyse, qu'il existe aussi un lien entre l'exigence du voilement de la femme, et le refus de la féminité par l'homme dans ce type de société. Autrement dit, il existe un lien entre le voilement de la femme et le refus de la différence des sexes. Ceci renvoie à l'angoisse de castration, qui intervient chez l'enfant à la phase du primat du phallus, à la suite de la perception de la différence anatomique.

Je me trouve ici sur le terrain de la psychanalyse. C'est donc à sa théorie que je vais me référer. J'essaierai de situer, dans ce qui suit, le moment de l'émergence du complexe de castration essentiellement chez le petit garçon, sa signification, ainsi que sa valeur structurante pour l'individu.

La théorie de la castration tient une place centrale dans l'œuvre de S. Freud, bien qu'il n'ait jamais fait d'étude exhaustive de ce complexe. Nous la retrouvons dans des articles successifs, au fur et à mesure de ses découvertes cliniques et théoriques. Ainsi, dans son texte de 1917 sur

« la transposition des pulsions, en particulier dans l'érotisme anal », Freud va dégager l'équation : fèces = pénis = enfant. La séparation de l'enfant d'avec sa mère lors de sa naissance, la défécation, préfigurent le complexe de castration. Mais c'est indubitablement lorsque celui-ci est en relation avec le pénis, qu'il va prendre toute sa force et donner, après-coup, leur signification à ces antécédents.

Dans sa description de « l'organisation génitale infantile », en 1923, Freud va en effet montrer que la sexualité infantile est très proche de la sexualité adulte, en ce sens qu'elle aboutit, au moment du complexe d'Œdipe, à une organisation de type génital. Mais alors que, pour l'adulte, la génitalité implique la prise en considération de l'organe sexuel masculin et de l'organe sexuel féminin, l'organisation génitale infantile est placée sous la primauté du phallus. Le seul organe connu est l'organe viril pour les deux sexes. De ce fait, l'enfant mâle craindra de le perdre, dans la mesure où le complexe d'Œdipe mobilise des désirs dont le siège est le pénis, et la petite fille voudra l'acquérir : c'est l'envie du pénis.

Le complexe de castration pousse le petit garçon à abandonner son investissement de la mère, afin de sauvegarder son pénis, alors que la petite fille entre dans la phase œdipienne pour obtenir, auprès du père, l'organe qui lui manque, organe dont l'enfant sera le substitut (« La disparition du complexe d'Œdipe », 1924). En fait, c'est la différence anatomique entre les sexes, dont il étudiera les conséquences psychiques en 1925, qui est, avant tout, à l'origine du complexe de castration dans les deux sexes.

Pour que l'enfant mâle connaisse l'angoisse de castration, il faut une conjonction de deux éléments apparaissant successivement. Tout d'abord une menace, proférée généralement par la mère ou son substitut, et visant le pénis dans ses activités liées à la masturbation. Cette menace ne devient effective que lorsque l'enfant aura été confronté à la vision des organes génitaux féminins dépourvus de pénis, (« c'était donc vrai ») et elle est rapportée au père. Tout se passe comme si un schéma préétabli gouvernait la perception de l'enfant et venait lui conférer un sens. La menace de castration se rapporte à l'interdit de l'inceste venant du père. En effet, par-delà chaque histoire individuelle, Freud considère que la castration est un fantasme primaire et originaire. Ce fantasme serait transmis héréditairement et plongerait ses racines dans la préhistoire de l'humanité. A l'aube des temps, le père de la horde primitive aurait réellement châtré ses fils et se serait réservé les femelles. C'est ce souvenir inscrit phylogénétiquement qui se reproduirait dans l'ontogenèse, transcendant ainsi les événements de l'histoire personnelle de chaque homme (1).

Les conséquences de cette « dissolution » de la situation œdipienne sont en premier lieu la formation d'un Surmoi, qui n'est que le résultat de l'introjection des interdits de l'inceste. En second lieu, il y a l'entrée dans la période de latence, ou de mise en sommeil de la sexualité jusqu'au réveil de la puberté.

S. Freud, et J. Laplanche à sa suite, insistent sur le fait que l'interdit touche essentiellement une partie de l'activité sexuelle, celle qui est sous-tendue par les fantasmes incestueux. « Tout en interdisant apparemment toute activité sexuelle, c'est implicitement, dans l'inconscient - à la fois celui de l'enfant et celui de l'adulte - l'activité sexuelle incestueuse dirigée vers la mère qui est interdite » (2).

J. Laplanche souligne un autre point essentiel pour l'organisation psycho-sexuelle de l'enfant. Ce point concerne l'auteur de l'interdit. Dans la mesure où ce sont les femmes qui interdisent, « c'est bien l'ensemble de la sexualité qui est emportée. Et ici, se profile l'image non pas du père castrateur, mais de la mère castratrice » (3), ce qui renvoie l'enfant à la « phase orale », à la relation primitive à la mère et aux fantasmes de dévoration (cas de l'homme aux loups). L'interdit émanant des femmes provoque chez l'enfant une régression sur des positions antérieures, alors que l'interdit de l'inceste, qui émane du père, est une loi positive, puisqu'elle place l'enfant dans une position de rivalité ; si elle interdit une femme - la mère -, elle ouvre la possibilité de rencontrer les autres femmes, les non-mères.

Si nous récapitulons les points essentiels, nous dirions que :

---

(1) Chasseguet-Smirgel (J.), Préface, *Le complexe de castration, un fantasme originaire*, Tchou éditeur, 1978, pp. 13-14.
(2) Laplanche (J.), *Castration*, Symbolisations, PUF, Paris, 1983, pp. 72-73.
(3) Laplanche (J.), Ibidem, p. 73.

- Le complexe de castration est contemporain de la phase phallique de du complexe d'Œdipe.
- Le premier interdit, l'interdit fondateur de la civilisation et, par conséquent, celui qui permet l'avènement de l'être social, est l'interdit de l'inceste. C'est une loi considérée comme étant universelle.
- Celui qui pose cet interdit, en rompant la dyade mère-enfant, c'est le père, autrement dit le tiers castrateur, qui fait naître chez l'enfant la crainte pour son pénis s'il persiste dans ses désirs incestueux.
- C'est en reconnaissant que le père est bien le porteur de la loi que l'enfant, quel que soit son sexe, peut sortir de l'Œdipe.

Qu'en est-il de la castration comme phase dans l'organisation génitale de l'enfant, et comme moment de l'émergence de la loi dans la société qui fait l'objet de cette étude ?

Cette question appelle différents niveaux de réponse. Si nous nous en tenons à la stricte réalité et au premier cliché que ferait n'importe quel touriste de passage dans une de nos villes, nous dirions que nous sommes dans une société qui vit sous le primat du phallus. Le voilement de la femme serait l'équivalent du voilement de la conscience et, par conséquent, du refus de la prise en compte de la différence des sexes qui, comme nous l'avons vu précédemment, est source d'angoisse pour le petit garçon. Nous serions donc en présence d'une société dont les hommes voilent les femmes pour éviter d'être confrontés à l'angoisse de castration.

Je ne vais sûrement pas faire ce que je me suis défendue jusqu'alors, c'est-à-dire le diagnostic d'une société. J'essaierai de contourner cet obstacle en me situant dans le cadre de la relation mère-enfant dans ce type de société.

Dans son excellent article sur « La mère et la femme dans la société traditionnelle au Maghreb » (4), A. de Prémare s'interroge, elle aussi, sur la situation infantile, le « trauma », la dialectique enfant-adulte, qui aurait présidé

(4) De Premare (A.), « La mère et la femme dans la société familiale traditionnelle au Maghreb », in *Bulletin de psychologie*, XXVIII, 314, 1974-1975, pp. 295-304.

à l'origine de ce trait culturel, dont elle relève l'importance et qui est la dépréciation de la femme dans la société familiale maghrébine et son idéalisation en tant que mère. J'ajouterai quelques précisions. Son idéalisation en tant que mère par la société est liée au fait que celle-ci est particulièrement mal à l'aise en face de la femme qui n'est que femme. Cela ne protège nullement la mère contre le risque de se voir adjoindre une co-épouse, sans compter les multiples anti-épouses dont parle si bien A. Bouhdiba. Quant à son idéalisation en tant que mère par ses enfants, nous verrons dans ce qui suit par quoi elle est sous-tendue. La femme sait, ou fait régulièrement, la triste expérience de la précarité de sa place en tant qu'épouse et même mère. Elle peut être répudiée d'un moment à l'autre, sur simple saute d'humeur de son mari ou de sa famille. L'homme se comporte en ces moments-là comme un enfant « gâté », ou plutôt un être « immature », puisqu'il s'agit d'un homme adulte. Il est assuré, quels que soient les événements, de la pérennité du lien qui l'attache à sa mère. Quant à ce qu'il dit à la femme qu'il répudie, - « je trouverai ta sœur au marché », « dix comme toi au marché » -, en dit long sur l'assimilation de la femme à une denrée alimentaire, comme telle, renouvelable. Ceci est significatif de l'oralité qui sous-tend la relation à la femme, plutôt à la première femme, la mère, dont l'enfant n'a jamais été sevré.

Nous saurons peut-être un peu plus sur la question, si nous considérons « le rêve éveillé d'une mère », qu'a su nous rapporter A. de Prémare. C'est une berceuse que chantent les mères à leurs jeunes garçons. Elle montre à quel point le fils peut être porteur de tous les rêves ambigus d'une mère : « devenu réalité, le fils y est considéré par sa mère comme sa part de chance venant de Dieu. Il est beauté, assurance d'une compagnie qui ne prendra fin qu'avec la mort. Il la nourrira de bon blé qu'elle partagera avec sa propre parenté à elle, avec ses voisins et ses hôtes. Il ne la laissera jamais seule. Il ne partira pas nomadiser, sans l'emmener sur son propre chameau ; il la fera monter en la haussant sur ses fortes épaules, après lui avoir confectionné une selle de son propre tapis brodé et l'avoir recouverte de son propre burnous. C'est lui qui conduira le chameau dans les passes difficiles. Le seul souhait du fils, c'est la joie de sa mère, tant qu'il vivra. Elle n'a plus besoin de la protection de ses frères : elle a un fils » (5).

L'auteur souligne l'absence total du mari et de la famille de ce dernier : tout se passe entre Dieu, le fils et sa mère. Les relations entre ces deux derniers, présentées sous forme d'images concrètes, ayant trait à l'oralité nourricière comme à la protection virile, sont marquées par un exclusivisme jaloux. Pour la mère bénie par Dieu, le fils est enfin son homme à elle ! Le mot est bien dit. J'irai plus loin en disant que, dans ce type de société, qui « institutionnalise(nt) l'écrasement de la femme, sa déréalisation, sa négation » (6), l'homme idéal pour la femme n'est pas à rechercher à l'extérieur, il provient d'elle, elle engendre son homme. Quel que soit l'âge de son fils, elle lui rappellera sa provenance et la rappellera à la belle-fille qui aurait quelque prétention à le lui prendre.

Curieusement, comme pour compenser la rigueur de cette société à l'égard de la femme, en cas de divorce, le droit de garde est réservé en priorité à la mère, jusqu'à la puberté du garçon et jusqu'au mariage de la fille. On retrouve cette même reconnaissance de la mère et un courant tendre à l'égard de ce monde des opprimées, dans les textes du Coran qui recommande la piété filiale à l'égard des deux géniteurs. Il insiste davantage sur « les liens de l'utérus » (« Silat ar-rahim »), qui priment les liens qui rattachent le père à son fils.

Deux autres éléments vont concourir au renforcement de cette relation mère-fils qui ne l'est que trop. D'un côté l'absence du père, qui est une réalité patente dans la société maghrébine, de l'autre l'enfance, comme la féminité, sont reléguées de l'autre côté de la barrière. « Le même type de barrière qui sépare le masculin du féminin sépare l'adulte accompli des petits (« çighâr »). L'enfance est déréalisée au point qu'elle était délibérément ignorée par les pères, qui s'en remettaient volontiers aux mères, pour assurer les premiers pas de leurs fils dans la vie. Les seuls modèles valables du vécu sont ceux de l'adulte. Aux enfants de s'y conformer, de s'en approcher. Pas plus

---

(5) Boris (G.), cité par A. de PREMARE, op. cit., pp. 297-298.
(6) Bouhdiba (A.), *op. cit.*, p. 260.

qu'on ne pouvait parler d'autonomie de la femme, celle des enfants était impensable » (7).

Enfin, comble du paradoxe, la femme, l'éternelle mineure qui n'a ni père, ni frère, ni époux, peut utiliser son fils comme tuteur.

Il me semble possible, à présent, de tirer quelques conclusions sur l'origine du voilement et sa pérennité dans ce type de société, à partir du panorama que je viens d'esquisser sur la relation mère-fils.

Nous avons vu que le lien qui attache l'enfant puis plus tard l'adulte à sa mère est indéfectible et attendu comme tel par la mère qui a fondé tous ses rêves sur cet homme, l'homme qui provient d'elle. Il est d'autre part indubitable que cet enfant porteur de tous les espoirs, dont le lien est particulièrement puissant et pleinement reconnu, n'est à aucun moment un partenaire sexuel. La seule réalité à prendre en considération, diraient les psychanalystes, est la réalité fantasmatique. Il reste à voir la voie que va emprunter le petit garçon pour l'assomption de son identité sexuée. La marge est étroite. Le père absent quand il n'est pas lointain, inaccessible ou terrorisant. Une mère dont la caractéristique est l'excès de présence, un espoir démesuré, une attente insoutenable. Puis le voile qui recouvre la mère et les autres femmes. Une idéalisation démesurée de la mère qui trouve son pendant dans la négation, la déréalisation, le mépris des autres femmes.

Dans son livre sur les sources inconscientes de la misogynie, G. Rubin (8) considère cette attitude de l'homme à l'égard de la femme comme un symptôme. Comme tel, il a une fonction et un sens, caché, occulté et pour cela important. Nous serions, selon G. Rubin, en présence d'un archaïsme, comme tant d'autres qui subsistent dans notre inconscient à l'état refoulé et qui viennent troubler notre présent.

Après avoir passé en revue les femmes dans toutes les sociétés, des plus égalitaires aux plus misogynes, elle constate, partout, l'infériorisation de la femme dans le réel, alors que, dans l'inconscient, elle est vécue comme puissante et terrifiante. Cette infériorisation est due, selon elle, à une dramatique confusion entre Mère phantasmatique

(7) Bouhdiba (A.), *op. cit.*, p. 267.
(8) Rubin (G.), *op. cit.*, p. 16.

et femme. Cette mère phantasmatique est la mère des premiers mois de la vie. Elle est vécue par le nourrisson comme étant toute-puissante et source de tout ce qui peut arriver de bon ou de mauvais. Elle est vécue aussi comme tenant entre ses mains la vie et la mort et reste profondément enfouie dans l'inconscient.

Pour pouvoir se réaliser dans sa singularité, l'enfant doit « tuer » l'image de cette mère toute-puissante à un moment donné de son évolution, comme il doit « tuer » l'image du père à un autre moment de son évolution.

« Cette prise de conscience n'étant pas faite encore, nous continuons, au lieu de détruire la Mère/phantasmère, à inférioriser la mère/femme. Le légitime désir de mort destiné à la Mère (phantasmatique) s'est trompé de cible et a été déplacé sur la femme (réelle) » (9).

Le livre de G. Rubin a le mérite d'être une tentative d'approche globale des fondements psychologiques de l'infériorisation de la femme dans le monde. Cependant en ce qui concerne la femme algérienne et arabe en général, l'infériorisation et son corollaire, le voilement, puisent leurs racines dans ce lien très puissant qui unit la mère à son fils et qu'aucun tiers valable ne vient rompre, si ce n'est les naissances successives des frères et sœurs, qui viennent signifier la trahison de la mère et sonner le glas de toutes les illusions incestueuses auxquelles l'enfant mâle peut à juste titre croire, étant donné la place qu'il occupe dans le désir de sa mère. « La séductrice qui éveille le désir est aussi l'obstacle à son accomplissement. Pour l'enfant elle est l'image même de la perversité. Que veut-elle ? L'enfant d'une mère "idéalisée" a pu croire qu'il était, lui aussi, un enfant "idéal", le centre de son univers, jusqu'au moment de la révélation fatale qu'il ne détient pas la réponse au désir de sa mère. Dans l'effondrement tardif de son illusion, il ne sait plus qui il est pour elle ni ce qui lui donnera satisfaction. Il doit exister quelque part un phallus "idéal", capable de combler la mère. Le père, rarement reconnu comme objet de désir sexuel pour la mère, ne l'a sûrement pas, aussi l'enfant n'a-t-il guère envie de se tourner vers lui ni de s'identifier à lui. Ce fac-

(9) Ibid., pp. 123-124.

teur, renforcé par le désir, parfois conscient, de sa mère, s'accorde trop bien avec le désir de l'enfant de croire au mythe d'un père castré ou non existant. Ainsi donc, la jalousie œdipienne et le complexe de castration, point de départ d'une réorganisation de l'ensemble de la personnalité, deviennent une expérience désorganisatrice plutôt que structurante » (10).

Nous avons vu précédemment que dans la société algérienne traditionnelle, le père en tant que tiers castrateur, est méconnu par la mère depuis le début. Le seul homme pour elle, est celui qui provient d'elle, son fils. A la phase œdipienne, au moment où son désir en direction de la mère se fait plus précis sous le primat du phallus, l'enfant ne trouve en face de lui aucun tiers castrateur reconnu comme tel par la mère, si ce n'est son père à elle ou Dieu. Un fait symptomatique, très souvent cité par les hommes, se trouve être dans la conduite au « hammam », lieu par excellence de la mère. Le père ne pense jamais à en interdire l'entrée à son fils aux heures des femmes. La mère oubliera très facilement l'âge de son fils. C'est la gardienne du bain qui doit intervenir très vivement pour lui en interdire l'accès. La mère castratrice se profile déjà derrière cette femme hirsute qui interdit l'antre du royaume des mères.

Il en est de même pour le sommeil ; très souvent, c'est l'enfant qui déloge le père du côté de la mère, en attendant qu'il soit détrôné par un frère ou une petite sœur.

Quelle va être la solution pour détourner cet impensable, qui est avant tout la scène primitive, la rencontre entre la mère et le père qui signifie la complémentarité des sexes, grâce à la différence anatomique et donc l'exclusion du fils, sa castration.

« La perception du sexe féminin n'est pas seulement capable de stimuler les fantasmes décrits par Freud, à savoir que la castration peut survenir chez un petit garçon ou qu'elle est déjà survenue chez une petite fille. Elle éveille inévitablement la connaissance intuitive selon laquelle le pénis manquant marque l'endroit où un pénis réel vient remplir sa fonction phallique réelle ; cette intuition ouvre la porte à la connaissance apprise concernant la relation sexuelle. Ainsi le sexe béant de la mère fournit la preuve

---

(10) Mc Dougall (J.), *op. cit.*, p. 46.

du rôle du pénis paternel. Mais de cela, l'enfant ne veut rien en savoir. Il préfère même halluciner un pénis, détruisant alors sa reconnaissance de la différence plutôt que d'accepter l'idée que les organes génitaux de ses parents sont différents et complémentaires, plutôt que d'accepter qu'il est à jamais exclu du cercle fermé, et que, si son désir persistait, il encourrait la menace de castration... L'enfant qui trouve une issue déviante fait fi de ces réalités inéluctables et de la vérité qui en découle, mais c'est au prix élevé d'une atteinte à une partie de son Moi, et d'un abandon, dans un secteur limité, de la réalité extérieure. « Ce n'est pas vrai, déclare l'enfant, mon père n'a aucune importance ni pour ma mère ni pour moi. Je n'ai rien à craindre de lui ; du reste, je suis le seul objet du désir de ma mère. » Ainsi le pénis du père perd sa valeur symbolique virtuelle et des fragments essentiels de la connaissance humaine sont engloutis » (11).

Le voile semble être la solution trouvée, c'est pour cela que tous les enfants s'entendront au moins sur ce point avec leur père, pour en recouvrir chacun sa propre mère et ainsi ne jamais être confronté à la réalité du pénis manquant chez la mère et, partant, chez toutes les femmes. Le voile serait donc le substitut de ce pénis manquant et jouerait le rôle d'un fétiche. Selon Freud : « il demeure le signe d'un triomphe sur la menace de castration et une protection contre cette menace, il épargne au fétichiste de devenir homosexuel en prêtant à la femme ce caractère par lequel elle devient supportable en tant qu'objet sexuel » (12).

(11) Mc Dougall (J.), *op. cit.*, p. 54.
(12) Freud (S.), *Le fétichisme, la vie sexuelle*, PUF, Paris, 1969, p. 135.

BIBLIOGRAPHIE

Abraham (K.), 1912 - *Psychanalyse d'un cas de fétichisme du pied et du corset,* Œuvres complètes, t. I, Payot, Paris, 1965, pp. 91-98.

1912 - *La force déterminante du nom*, Œuvres complètes, t. I, Payot, Paris, 1965, pp. 114-115.

1913 - *Le pavillon auriculaire et le circuit auditif, zone érogène,* Œuvres complètes, t. I, Payot, Paris, 1965, pp. 121-123.

1920 - *Manifestation du complexe de castration chez la femme*, Œuvres complètes, t. II, Payot, Paris, 1965, pp. 101-126.

1922 - *L'araignée, symbole onirique*, Œuvres complètes, t. II, Payot, Paris, 1966, pp. 141-145.

1923 - *Une théorie infantile de la genèse du sexe féminin*, Œuvres complètes, t. II, Payot, Paris, 1966, p. 154.

Ait Sabbah (F.), *La femme dans l'inconscient musulman*, éd. Le Sycomore, Paris, 1982, 204 p.

Amrani (K.), *Le corps de la femme dans la société endogame. Le Maroc,* Thèse de 3e cycle, Paris, VII, 1977, 425 p.

Arkoun (M.), *La pensée arabe*, PUF, Paris, 1975, 124 p.

Aulagnier-Spairani (P.), « La féminité », in *Le désir et la perversion*, éd. du Seuil, Paris, 1967, pp. 55-89.

Bonn (Ch.), *La littérature algérienne de langue française et ses lectures*, éd. Naaman, Ottawa, 1974, 233 p.

Boudjedra (R.), *La répudiation* (Roman), éd. Denoël, 1970, 293 p.

La vie quotidienne en Algérie, éd. Hachette, Paris, 1971, 254 p.

Bouhdiba (A.), *La sexualité en Islam*, PUF, Paris, 1975, 320 p.

Bourdieu (P.), *Esquisse d'une théorie de la pratique*, Librairie Droz, Paris-Genève 1972, 267 p.

Sociologie en Algérie, PUF, Paris, 1974, 127 p.

Bousquet (Ch.), *Islam maghrébin*, La Maison des Livres, Alger, 1950, 243 p.

Bouvet (M.), *Résistances, transfert, Œuvres psychanalytiques - 2,* Payot, Paris, 1976, 310 p.

Braunschweig (D.) - Fain (M.), Eros et Antéros, Réflexions psychanalytiques sur la sexualité, éd. P.b.P, Paris, 1971, 279 p.

Brouselle (A.), « Le Barbare et l'endogamie », in *Revue française de Psychanalyse*, t. XLVI, PUF, juil.-août 1982, pp. 801-804.

Caillois (R.), *Le mythe et l'homme*, éd. Gallimard/Idées, Saint-Amand (Cher), 1981, 183 p.

Calvet (L.-J.), *Linguistique et colonisalisme, Petit traité de glottophagie*, éd. P.b.P, Paris, 1979, 224 p.

Camus (A.), *L'étranger*, éd. Gallimard, Saint-Amand, 1980, 186 p.

Chasseguet-Smirgel (J.), *La sexualité féminine*, éd. P.b.P, Paris, 1964, 310 p.

Chelhod (J.), *Introduction à la sociologie de l'Islam - de l'animisme à l'universalisme*, éd. Besson-Chantemerle, 1958, 230 p.

Les structures du sacré chez les Arabes, Maisonneuve, Paris, 1964, 288 p.

« Ethnologie du monde arabe et islamique », in *L'homme, Revue française d'anthropologie*, Paris, 1969, pp. 24-40.

« La parenté et le mariage au Yemen », in *Société d'Ethnographie de Paris*, éd. Gabalda, Paris, 1973, pp. 47-90.

Chellier (D.), *Voyage dans l'Aures*, Imprimerie Nouvelle, Tizi-Ouzou, 1985, 38 p.

Chiland (C.), *L'enfant de six ans et son avenir,* PUF, 1973, 409 p.

David (C.), « La bisexualité psychique, éléments d'une réévaluation », in *Revue française de Psychanalyse*, t. XXXIX, sept.-déc. 1975, PUF, pp. 713-845.

Dejeux (J.), « Les structures de l'imaginaire dans l'œuvre de Kateb Yacine », in *Mélanges*, Le Tourneau (R.), Aix-en-Provence, 1973, pp. 268-292.

Delloye (I.), *Des femmes d'Afghanistan*, éd. des Femmes, Paris, 1980, 154 p.

Demombynes (G.), *Le Pèlerinage à La Mekke*, Librairie Orientaliste, Paris, 1923, 332 p.

Denis (P.), « La période de latence et son abord théra-

peutique », in *La psychiatrie de l'enfant,* vol. XXII, 2, PUF, Paris, 1979, pp. 281-333.
Dermenghem (E.), *Le culte des saints dans l'Islam maghrébin*, éd. Gallimard, Paris, 1954, 343 p.
Descloitres (R.) - Debzi (L.), « Système de parenté et structures familiales en Algérie », in *A.A.N.*, vol. II, pp. 23-59.
Devereux (G.), *Ethnopsychanalyse complémentariste*, éd. Flammarion, Paris, 1972, 280 p.
Essais d'ethnopsychiatrie générale, éd. Tel-Gallimard, 1977 (1ère éd. 1970), 394 p.
De l'angoisse à la Méthode, éd. Flammarion, Paris 1980, 447 p.
Diatkine (R.), « Réflexion sur les traitements à la période de latence », in *La Psychiatrie de l'enfant*, vol. XXII, 2, PUF, Paris, 1979, pp. 363-380.
« Du traitement des phobies chez les filles à la période de latence », in *La Psychiatrie de l'enfant*, vol. XXII, 2, PUF, Paris, 1979, pp. 335-362.
Diatkine (R.) - Simon (J.), « Quelques réflexions sur l'interprétation en psychanalyse des enfants », in *La Psychiatrie de l'enfant*, vol. XXII, 1, PUF, Paris, 1975, pp. 219-240.
Diel (P.), *La divinité*, éd. P.b.P., Paris 1971, 273 p.
Djebar (A.), *Femmes d'Alger dans leur appartement*, éd. des Femmes, Paris, 1980, 193 p.
Les alouettes naïves, SNED, Collection 10-18, 1967, 425 p.
Dolto (F.), *Psychanalyse et pédiatrie*, éd. du Seuil, Paris, 1971, 283 p.
Sexualité féminine, éd. Scarabée & Co., Paris, 1982, 346 p.
Dougall Mc (J.), *Plaidoyer pour une certaine anormalité*, éd. Gallimard, 1978, 222 p.
« Corps et métaphore », in *Nouvelle Revue de Psychanalyse*, n° 23, éd. Gallimard, Mayenne, 1981, pp. 57-81.
El-Boukhari, « Du mariage », in *Les traditions islamiques,* t. III, éd. Adrien Maisonneuve, Paris, 1977, pp. 544-606.
Eliade (M.), *Du sacré et le profane*, éd. Gallimard/Idées, Saint Amand (Cher), 1982, 181 p.
Emel Esin, *La Mecque ville bénie, Médine ville radieuse*, éd. Albin Michel, Paris, 1963, 233 p.
Fanon (F.), *Sociologie d'une révolution*, éd. Maspero, Paris 1959, 183 p.
Fekkar (Y.), « La femme, son corps et l'Islam », in *Le*

Maghreb musulman en 1979, éd. du CNRS, Paris, 1981, pp. 135-146.

Ferenzi (S.), 1909, « Transfert et introjection », *Œuvres complètes*, t. I, Payot, Paris, 1968, pp. 93-125.

1929 - « Masculin et féminin », *Œuvres complètes*, t. IV, Payot, Paris, 1982, pp. 66-75.

Feraoun (M.), *Le fils du pauvre* (Roman), éd. du Seuil, Paris, 1954, 126 p.

Fonagy (I.), « Bases pulsionnelles de la phonation », in *Revue française de psychanalyse*, t. XXXV, PUF, juillet 1971, pp. 543-589.

Fromm (E.), 1953, *Le langage oublié*, éd. P.b.P., Paris, 1980, 211 p.

Freud (A.), 1946, *Le Moi et les mécanismes de défense*, PUF, 1949, 163 p.

Le normal et le pathologique chez l'enfant, éd. Gallimard, Paris, 1972, 188 p.

Freud (S.), 1899, *L'interprétation des rêves*, PUF, Paris, 1967, 527 p.

1905 - *Trois essais sur la théorie de la sexualité*, éd. Gallimard, Paris, 1962, 189 p.

1905 - « Fragment d'une analyse d'hystérie (Dora) », in *Cinq psychanalyses*, PUF, Paris, 1975, pp. 1-91.

1908 - « Les théories sexuelles infantiles », in *La vie sexuelle*, PUF, Paris, 1969, pp. 14-27.

1908 - « La morale sexuelle « civilisée » », in *La vie sexuelle*, PUF, Paris, 1969, pp. 28-46.

1909 - « Analyse d'une phobie chez un petit garçon de cinq ans (le petit Hans) », in *Cinq psychanalyses*, PUF, Paris, 1975, pp. 93-198.

1910 - « Contributions à la psychologie de la vie amoureuse », in *La vie sexuelle*, PUF, Paris, 1969, pp. 47-80.

1910 - *La technique psychanalytique*, PUF, Paris, 1977, 141 p.

1912 - *Totem et tabou*, éd. P.b.P., Paris, 1983, 185 p.

1913 - « Le thème des trois coffrets », in *Essais de psychanalyse appliquée*, éd. Gallimard, 1978, pp. 87-103.

1915 - « Pulsions et destins des pulsions », in *Métapsychologie*, éd. Gallimard, Paris, 1969, pp. 45-63.

1916/1917 - *Introduction à la psychanalyse*, éd. P.b.P., Paris, 1981, 441 p.

1917 - « Sur les transpositions de pulsions, plus particu-

lièrement dans l'érotisme anal », in *La vie sexuelle*, PUF, Paris, 1969, pp. 106-122.
1919 - « L'inquiétante étrangeté », in *Essais de psychanalyse appliquée*, éd. Gallimard, Paris, 1978, pp. 163-210.
1920 - « Au-delà du principe de plaisir », in *Essais de psychanalyse*, éd. P.b.P., Paris, 1981, pp. 41-112.
1923 - « Le Moi et le ça », in *Essais de psychanalyse*, P.b.P., Paris, 1981, pp. 230-239.
1925 - « Quelques conséquences psychiques de la différence anatomique entre les sexes », in *La vie sexuelle*, PUF, Paris, 1969, pp. 123-132.
1925 - *Le rêve et son interprétation*, éd. Gallimard, Saint Amand 1980, 118 p.
1926 - *Inhibition, symptôme, angoisse*, PUF, Paris, 1975, 102 p.
1927 - « Le fétichisme », in *La vie sexuelle*, PUF, Paris, 1969, pp. 133-138.
1927 - *L'avenir d'une illusion*, PUF, Paris, 1976, 100 p.
1929 - *Malaise d'une civilisation*, PUF, Paris, 1976, 107 p.
1931 - « Sur la sexualité féminine », in *La vie sexuelle*, PUF, Paris, 1969, pp. 133-138.
1932 - *Nouvelles conférences sur la psychanalyse*, éd. Gallimard/Idées, Paris, 1981, 241 p.
« La tête de Méduse » (trad. de Marthe Robert), in *Revue française de psychanalyse*, t. XLV, 3, PUF, mai-juin 1981, pp. 451-452.
Groult (B.), *Ainsi soit-elle*, éd. Grasset & Fasquelle, 1975, 220 p.

Harzallah (Kh.), « Le cas Halima : folie, tradition et modernité en Tunisie », in *Revue d'ethnopsychiatrie*, éd.
La Pensée Sauvage, n° 3, pp. 135-181.
Hayek (M.), *Les Arabes ou le baptème des larmes*, éd. Gallimard, Mayenne 1972, 260 p.
Hermassi (E.), *Etat et société au Maghreb*, éd. Anthropos, Paris 1975, 264 p.
Horney (K.), *Les voies nouvelles de la psychanalyse*, éd. L'Arche, Paris, 1951, 246 p.
Ifrah (A.), *Le Maghreb déchiré*, éd. La Pensée Sauvage, 1980,145p.
Jaubert (A.), « Les femmes dans l'écriture », in *Revue Chrétienne*, n° 219 (1-Co-11,2-16).
Jaussen (P.A.), *Coutumes des Arabes au pays de Moab*,

éd. Adrien Maisonneuve, Librairie d'Amérique et d'Orient, 1908, 448 p.
Jomier (J.), *Les grands thèmes du Coran*, éd. Le Centurion, Paris, 1978, 126 p.
Kateb (Y.), *Nedjma*, (Roman), éd. du Seuil, Paris, 1956, 256 p.
Khan (M.), « Orgasme du Moi dans l'amour bisexuel », in *Nouvelle Revue de Psychanalyse,* n° 7, éd. Gallimard, printemps 1973, pp. 315-325.
« Tric-trac, d'un secret à l'autre », in *Nouvelle Revue de Psychanalyse*, n° 14, éd. Gallimard, Paris, 1976, pp. 231-239.
Le soi caché, éd. Gallimard, 1976, 434 p.
Figures de la perversion, éd. Gallimard, 1981, 279 p.
« Personne ne peut dire sa folie », in *Nouvelle Revue de Psychanalyse,* n° 23, éd. Gallimard, printemps 1981, pp. 83-115.
« Prisons », in *Nouvelle Revue de Psychanalyse*, n° 30, éd. Gallimard, automne 1984, pp. 77-104.
Khodja (S.), « Les femmes musulmanes algériennes et le développement », in *Le Maghreb musulman en 1979*, Paris, 1981, pp. 123-134.
Kierkeggard (S.), *Le journal d'un séducteur*, éd. Gallimard/Idées, 1965, 251 p.
Klein (M.), 1928, « Les stades précoces du conflit œdipien », in *Essais de psychanalyse*, éd. Payot, Paris, 1982, pp. 229-282.
1931 - « Contribution à la théorie de l'inhibition intellectuelle », in *Essais de psychanalyse*, éd. Payot, Paris, 1982, pp. 283-295.
1945 - « Le complexe d'Œdipe éclairé par les angoisses précoces », in *Essais de psychanalyse*, éd. Payot, Paris, 1982, pp. 370-424.
Kofman (S.), *L'énigme de la femme, la femme dans les textes de Freud*, éd. Galilée, Paris, 1983, 272 p.
Lacan (J.), « Fonction et champ de la parole et du langage en psychanalyse », in *Ecrits,* éd. du Seuil, Paris, 1966, pp. 237-322.
Lacoste (Y.), *Ibn Khaldoun, Naissance de l'Histoire, Passé du Tiers-Monde*, éd. Maspero, Paris, 1981, 267 p.
Lacoste-Dujardin (C.), *Dialogue de femmes en ethnologie*, éd. Maspero, Paris, 1977, 114 p.

Lahbabi (M.A.), *Le personnalisme musulman*, PUF, Paris, 1967, 122 p.
Lammens (H.), *L'Arabie occidentale avant l'hégire*, Imprimerie Catholique, Beyrouth 1928.
Laplanche (J.), « La castration, ses précurseurs et ses destins », in *Bulletin de Psychologie*, XXVII, 312, 1973-1974, pp. 685-709.
« Problématiques du ça », in *Psychanalyse à l'Université*, juin et sept. 1979, éd. Réplique, Paris, 1979, pp. 377-416 et 565-617.
Problématiques II, castration, symbolisations, PUF, Paris, 1980, 311 p.
Laplanche (J.) et Pontalis (J.B.), 1967, *Vocabulaire de la psychanalyse*, 2e édition, PUF, Paris, 1984.
Laroui (A.), *L'histoire du Maghreb*, t. I, éd. Maspero, Paris, 206 p.
Lebovici (S.) et Soule (M.), *La connaissance de l'enfant par la psychanalyse*, PUF, 1972, 579 p.
Lemoine-Luccioni (E.), *Partage des femmes*, éd. du Seuil, Paris, 1976, 183 p.
Levi-Strauss (C.), *Les structures élémentaires de la parenté*, éd. Mouton & Co., La Haye-Paris 12967, 591 p.
« Introduction à l'œuvre de Marcel Mauss », in *Sociologie et Anthropologie*, PUF, Paris, 1978, (IX-LII).
Maertens (J.Th.), *Le corps sexionné*, éd. Aubier Montaigne, Paris, 1978, 176 p.
Makarius (R.), « Le mariage des cousins parallèles chez les Arabes », in *6e Congrès international des sciences anthropologiques et ethnologiques*, t. II, Musée de l'Homme, 30 juillet-6 août 1960, Paris, 1963, pp. 185-189.
Masse (H.), « Le dévoilement des Iraniennes », extrait de *La Revue des Etudes Islamiques*, Librairie Orientale Paul Geuthner, Paris, 1935, pp. 411-418.
Massignon (L.), 1952, « Le respect de la personne humaine en Islam et la propriété du droit », Opéra Minora, t. III, PUF, Paris, 1969, pp. 539-553.
Mauss (M.), *Sociologie et anthropologie*, PUF, Paris, 1978 (1re édition 1950), 482 p.
Mazahery (A.), *La vie quotidienne des musulmans au Moyen Age*, éd. Hachette, Paris, 1947, 307 p.
Mead (M.), *L'un et l'autre sexe*, éd. Denoël/Gontier, Paris, 1966, 344 p.

Mernissi (F.), *Sexe, Idéologie, Islam*, Librairie Tierce, 1983, 198 p.
« La beauté du diable », in Revue *Autrement*, n° 11, janvier 1985, pp. 119-123.
Montaigne (R.), *La civilisation du désert*, éd. Hachette, Paris, 1947, 267 p.
Mooren (Th.), « Monothéisme coranique et anthropologie », in *Revue internationale d'ethnologie et de linguistique*, 76-1981, 3/4, pp. 529-557.
M'Rabet (F.), *La femme algérienne*, éd. Maspero, Paris, 1978 (1ère édition 1950), 299 p.
Pontalis (J.B.), « A partir du contre-transfert, le mort et le vif entrelacés », in *Nouvelle Revue de Psychanalyse*, août 1975, n° 11, pp. 73-87.
Premare de (A.), « La Mère et la Femme dans la société familiale traditionnelle au Maghreb », in *Bulletin de Psychologie*, XXVIII, 314, 1974-1975, pp. 295-304.
Propp (V.-J.), *Morphologie du conte*, éd. du Seuil, Paris, 1965, 254 p.
Raswan (C.-R.), *Aux pays des tentes noires, mœurs et coutumes des Bédouins*, éd. Payot, Paris, 1936, 215 p.
Reik (Th.), 1935, *Le psychologue surpris*, éd. Denoël, Paris, 1976, 300 p.
Revaullt D'Allonnes (Cl.), *Le mal joli, accouchements et douleur*, Collection 10-18, série « Féminin-Futur », Paris, 1976, 442 p.
Rosolato (G.), « Etudes des perversions sexuelles à partir du fétichisme », in *Le désir et la perversion*, éd. du Seuil, Paris, 1967, pp. 9-52.
Essais sur le symbolique, éd. Tel-Gallimard, 1969, 361 p.
« La voix, entre corps et langage », in *Revue française de psychanalyse 1*, t. XXXVIII, PUF, Paris, janv. 1974, pp. 75-94.
Rubin (G.), *Les sources inconscientes de la misogynie*, éd. R. Lafont, Paris, 1977, 335 p.
Saadaoui (N. el) - *Les femmes dans le monde arabe, la face cachée d'Eve*, éd. des Femmes, Paris 1982, 411 p.
Safouan (M.), *La sexualité féminine dans la doctrine freudienne*, éd. du Seuil, Paris, 1976, 157 p.
Sami-Ali (M.), *Le haschich en Egypte. Essai d'anthropologie psychanalytique*, éd. Payot, Paris 1971.
L'espace imaginaire, éd. Tel-Gallimard, Saint-Amand (Cher), 1982, 259 p.

Sandler (J.), « Contre-transfert et rôle en résonnance », in *Revue française de psychanalyse*, t. XL, PUF, mai-juin 1976, pp. 403-411.
Searles (H.), *Le contre-transfert*, éd. Gallimard, 1981, 264 p.
Sibony (D.), *Le groupe inconscient, le lien et la peur*, éd. C. Bourgeois, Paris, 1980, 183 p.
Smirnoff (V.), *La psychanalyse et l'enfant*, PUF, Paris, 1968, 286 p.
Tabari, *Mohammed, sceau des prophètes*, éd. Sindbad, Paris, 1980, 354 p.
Tahon (M.-B.), « Romans de femmes algériennes », in *Dérives* 31-32, Voix Maghrébines, Montréal, 1982, pp. 77-100.
Tillion (G.), *Les ennemis complémentaires*, éd. de Minuit, Paris, 1960, 218 p.
L'Afrique bascule vers l'avenir : l'Algérie en 1957, éd. de Minuit, Paris, 1961, 117 p.
« Les femmes et le voile dans la civilisation méditerranéenne », in *Etudes maghrébines*, Mélanges Charles-André Julien, PUF, Paris, 1964, pp. 25-38.
Le harem et les cousins, éd. du Seuil, Paris, 1966, 212 p.
Toumi (M.), *Le Maghreb*, PUF, Paris, 1982, 126 p.
Vasse (D.), *Le temps du désir*, éd. du Seuil, Paris, 1969, 169 p.
Wolf (E.), *Les guerres paysannes du XXe siècle*, éd. Maspero, Paris, 1974.
Watt (W.-M.), *Mahomet à Médine*, éd. Payot, Paris, 1978, 408 p.
Winnicott (D.-W.), 1969, *De la pédiatrie à la psychanalyse*, P.b.P., Paris, 1983, 352 p.
1970 - *Processus de maturation chez l'enfant*, P.b.P., Paris, 1980, 256 p.
1971 - *Jeu et réalité, l'espace potentiel*, éd. Gallimard, 1975, 207 p.
« La crainte de l'effondrement », in *Nouvelle Revue de Psychanalyse*, n° 11, éd. Gallimard, printemps 1975, pp. 35-44.
Zerdoumi (N.), *Enfants d'hier, l'éducation de l'enfant en milieu traditionnel algérien*, éd. Maspero, Paris, 1979, 291 p.

TABLE DES MATIÈRES

Collection « Histoire et perspectives méditerranéennes »

dirigée par
Ahmet INSEL, Gilbert MEYNIER et Benjamin STORA

Dans le cadre de cette nouvelle collection, les éditions L'Harmattan se proposent de publier un ensemble de travaux concernant le monde méditerranéen des origines à nos jours.

Ouvrages parus dans la collection :

— O. Cengiz Aktar, *L'Occidentalisation de la Turquie,* essai critique, préface de A. Caillé.
— Rabah Belamri, *Proverbes et dictons algériens.*
— Juliette Bessis, *Les Fondateurs, index biographique des cadres syndicalistes de la Tunisie coloniale (1929-1956).*
— Juliette Bessis, *La Libye contemporaine.*
— Caroline Brac de la Perrière, *Derrière les héros... les employées de maison en service chez les Européens à Alger pendant la guerre d'Algérie (1954-1962).*
— *Camus et la politique*, actes du colloque international de Nanterre (juin 1985), sous dir. J. Guérin.
— Christophe Chiclet, *Les communistes grecs dans la guerre.*
— Catherine Delcroix, *Espoirs et réalités de la femme arabe (Égypte-Algérie).*
— Geneviève Dermenjian, *La crise anti-juive oranaise (1895-1905) : l'antisémitisme dans l'Algérie coloniale.*
— Fathi Al Dib, *Abdel Nasser et la révolution algérienne.*
— Jean-Luc Einaudi, *Pour l'exemple : l'affaire Iveton,* Enquête ; préface de P. Vidal-Naquet.
— *Famille et biens en Grèce et à Chypre,* sous la direction de Colette Piault.
— Monique Gadant, *Islam et nationalisme en Algérie*, d'après El Moudjahid, organe central du FLN.
— Seyfettin Gürsel, *L'empire ottoman face au capitalisme.*
— Kamel Harouche, *Les transports urbains dans l'agglomération d'Alger.*
— Marie-Thérèse Khair-Badawi, *Le désir amputé, vécu sexuel de femmes libanaises.*
— Ahmed Khaneboudi, *Les premiers sultans mérinides : histoire politique et sociale (1269-1331).*
— Ahmed Koulakssis et Gilbert Meynier. *L'émir Khaled, premier zaïm ? Identité algérienne et colonialisme français.*
— Daniel Rivet, *Lyautey et l'institution du protectorat français au Maroc (1912-1925),* 3 tomes.
— Christiane Souriau, *Libye : l'économie des femmes.*
— Benjamin Stora, *Messali Hadj, pionnier du nationalisme algérien (1898-1974)* (réédition).
— Benjamin Stora, *Nationalistes algériens et révolutionnaires français au temps du Front populaire.*
— Claude Tapia, *Les Juifs sépharades en France (1965-1985).*
— Gauthier de Villers, *L'État démiurge*, le cas algérien.
— Brahim Zerouki, *L'imamat de Tahart : premier État musulman du Maghreb,* tome I.

Coordination générale de la collection : Christiane DUBOSSON. Pour tous renseignements concernant ce secteur et pour recevoir le dernier catalogue des Éditions L'Harmattan, écrire à l'adresse suivante :
5-7, rue de l'École-Polytechnique, 75005 Paris

Dans la collection « Points de vue »

SEKOU TRAORE, *Les intellectuels africains face au marxisme*, 1983.
WOUNGLY-MASSAGA, *Où va le Kamerun ?*, 1984.
J.-P. BIYTTI bi ESSAM, *Cameroun : complots et bruits de bottes*, 1984.
Victor KAMGA, *Duel camerounais : démocratie ou barbarie*, 1985.
P. KOFFI TEYA, *Côte-d'Ivoire : le Roi est nu*, 1985.
MUTEBA-TSHITENGE, *Zaïre. Combat pour la deuxième indépendance*, 1985.
Guy ADJÉTÉ KOUASSIGAN, *Afrique, Révolution ou diversité des possibles*, 1985.
E. KEMGNE POKAM, *La problématique de l'unité nationale au Cameroun*, 1985.
Sidiki DIAKITE, *Violence technologique et développement*, 1985.
ELOI MESSI METOGO, *Théologie africaine et ethnophilosophie*, 1985.
Mar FALL, *Sénégal, l'État Abdou Diouf ou le temps des incertitudes*, 1986.
J.-B. N'TANDOU, *L'Afrique mystifiée*, 1986.
Babou P. BAMOUNI, *Burkina Faso, processus de la Révolution*, préface de Mongo Beti, 1986.
M. AMONDJI, *Côte-d'Ivoire, le PDCI et la vie politique de 1944 à 1985*, 1986.
Cheick Oumar DIARRAH, *Le Mali de Modibo Keïta*, préface de Christian Coulon, 1986.
Guy NUMA, *Avenir des Antilles-Guyane — Des solutions existent.* Projet économique et politique, 1986.
Wafik RAOUF, *Irak-Iran : Des vérités inavouées*, 1985.
Bassek Ba KOBHIO, *Cameroun : la fin du maquis ?* Presse, livre et « ouverture démocratique », 1986.
Djello SETH LUMOR, *Le Ghana de Rawlings*, 1986.
Jean-Pierre BRAX, *Haïti, pour quoi faire ?*, 1987.
Paulette SONGUE, *Prostitution en Afrique*, 1986.
Ferdinand DELERIS, *Ratsiraka : Socialisme et misère à Madagascar*, 1986.
Pierre ENGLEBERT, *La révolution Burkinabé*, 1986.
Mar FALL, *Des Africains noirs en France.* Des tirailleurs sénégalais aux... Blacks, 1987.

Dans la collection « Critiques littéraires »

M. GONTARD, *Violence du texte*. La littérature marocaine de langue française.
S. DABLA, *Nouvelles écritures africaines*. Romanciers de la Seconde Génération.
A. LAÂBI, *La brûlure des interrogations*. Entretiens réalisés par J. Alessandra.
R. BAFFET, *Tradition théâtrale et modernité en Algérie*.
Ch. BONN, *Le roman algérien de langue française*. Vers un espace de communication littéraire décolonisé ?
R. GODARD, *Trois poètes congolais : M. N'Débéka, J.-B. Tati Loutard, T.U. Tam'si*.
M.-J. HOURANTIER, *Du rituel au théâtre rituel*. Contribution à une esthétique théâtrale négro-africaine.
B. KOTCHY, *La critique sociale dans l'œuvre théâtrale de Bernard Dadié*.
S. LALLEMAND, *L'apprentissage de la sexualité dans les contes d'Afrique de l'Ouest*.
A. CALMES, *Le roman colonial en Algérie avant 1914*.
R. CHEMAIN, *L'imaginaire dans le roman africain d'expression française*.
A. MOSTEGHANEMI, *Algérie, femme et écritures*.
P. N'DA, *Le conte africain et l'éducation*.
G. DA SILVA, *Le texte et le lecteur comme interaction objective*.
Anthologie de la poésie tunisienne de langue française. Introduction et notes par H. Khadhar.
G. OSSITO MIDIOHOUAN, *L'idéologie dans la littérature négro-africaine d'expression française*.
M. GONTARD, *Nedjma de Kateb Yacine*. Essai sur la structure formelle du roman.
J. DÉJEUX, *Le sentiment religieux dans la littérature maghrébine de langue française*.
T. Bekri, *Malek Haddad. L'œuvre romanesque*. Pour une poétique de la littérature maghrébine de langue française.
D. NDACHI TAGNE, *Roman et réalités camerounaises. 1960-1985*.
R.S. BOUELET, *Espaces et dialectique du héros césairien*.
COLLECTIF, *Le récit et le monde. H. Quiroga, J. Rulfo, R. Bareiro Saguier*.

Achevé d'imprimer par Corlet, Imprimeur, S.A. - 14110 Condé-sur-Noireau (France)
N° d'Imprimeur : 2871 - Dépôt légal : octobre 1991 - *Imprimé en C.E.E.*